PROVENCE
TOUJOURS

PETER MAYLE

PROVENCE TOUJOURS

Traduit de l'anglais par
Jean Rosenthal

NiL
éditions

AVANT-PROPOS

L'invasion de la Provence
par 500 000 barbares anglais

Le spectacle était insolite, unique pourrait-on dire, dans la longue histoire de Ménerbes : une majestueuse Rolls-Royce s'aventurait dans le village.

Pour la plupart des gens, ce fait méritait qu'on y prêtât quelque attention : certaines rues de Ménerbes sont plus étroites qu'une Rolls-Royce et il pouvait y avoir là d'intéressantes possibilités d'un encombrement causé par un seul véhicule. Mais pour d'autres, l'arrivée de la Rolls avait une signification plus sinistre : il fallait l'accueillir avec aussi peu d'enthousiasme que la réapparition de la peste noire ou l'annonce que la cirrhose du foie est une maladie contagieuse. Un expatrié qui résidait dans la région résuma la chose pour le *Sunday Times* en une seule phrase poignante : « C'est, dit-il, la fin du Luberon. »

À en croire une autre exilée, résidente distinguée d'Aix-en-Provence, il fallait s'attendre au pire. Elle prétendait que des voyous britanniques allaient bientôt fondre sur la Provence par cars entiers. Son propos fut sur-le-champ transformé en inquiétantes données statistiques : du jour au lendemain, par la magie du journalisme, de simples cars de touristes devinrent une armée de 500 000 hooligans, gorgés de bière et en quête de quelque perverse distraction avant l'ouverture de la saison de football. Il n'était pas impossible, prophétisait la résidente distinguée d'Aix, qu'on expulsât tous les expatriés britanniques – même les plus recommandables – : mesure de représailles sans doute, après les exactions non spécifiées, mais à n'en pas douter abominables, que les misérables ne manqueraient pas de commettre. Ce commentaire était reproduit, avec une pointe de délectation, par le *New York Times.*

Pour ne pas être en reste, un châtelain, Provençal à mi-temps, évoqua en marmonnant ces « hordes barbares » et la ruine de « l'esprit du Luberon ». On put lire également de nombreux articles (dus pour la plupart à des experts cantonnés dans leur observatoire londonien) expliquant comment la paisible vie provençale allait être détruite par des hordes de touristes déchaînés.

Durant tout le début de l'été, la presse continua à publier ces dépêches tout à la fois alarmantes et étrangement répétitives. Pour moi, j'étais sur les lieux, au cœur même du maelström, idéalement placé pour être témoin des horreurs de l'invasion sans même avoir à quitter le *Café du Progrès.*

Je passai là tout un matin dans un état d'extrême fébrilité : je m'attendais un peu à assister à d'épouvantables actes de vandalisme, de violence, à des tentatives de viol, à des scènes d'ivresse collective, ou à voir les avant-gardes des envahisseurs réclamer à grands cris du hareng et des frites. En fait, l'événement dramatique de la matinée, ce fut un Hollandais qui tomba de bicyclette en essayant d'éviter un chat.

Je poussai plus loin mes investigations : j'allai jusqu'à Goult, Buoux, Cabrières et Bonnieux. Des amis là-bas, parmi eux des chefs portant au tourisme un intérêt professionnel, furent incapables de me fournir le moindre rapport de première main sur l'invasion. Ils avaient plutôt l'impression qu'il y avait moins de touristes cette année, mais c'était assurément à cause de la récession.

Où étaient les hooligans ? Chaque matin, j'inspectais la route devant la maison et chaque matin, elle était déserte, à l'exception d'un tracteur qui passait de temps à autre et de la camionnette garée près du champ de melons. Pas le moindre car bourré de barbares à l'horizon. Peut-être s'étaient-ils perdus en route. Ou bien avaient-ils été pris au piège du périphérique à Paris, condamnés désormais à y tourner en rond jusqu'au moment où ils auraient épuisé leurs réserves de bière.

En août, j'avais renoncé : mais d'autres, reporters plus diligents, essayaient encore. Un beau jour débarqua à la maison une équipe de télévision de C.B.S. : tous étaient en nage et abasourdis. On les avait envoyés filmer l'explosion touristique et ils venaient tout juste de passer deux heures à Ménerbes.

« C'est toujours comme ça ? demanda l'un d'eux.

– Comme quoi ?

– Un peu mort. »

Ils burent une bière et repartirent pour aller filmer une épidémie de naturisme illicite qu'on leur avait signalée à Saint-Tropez.

MÉNERBES, 1991

1

Acheter des truffes à M. X

Toute cette ténébreuse affaire commença par un coup de téléphone de Londres. C'était mon ami Frank, qu'un magazine à sensation avait décrit un jour comme un magnat vivant à l'écart du monde. Je le connaissais plutôt comme un gourmet quasiment professionnel : un homme qui prend au sérieux un dîner comme d'autres la politique. Frank dans une cuisine, c'est un chien courant sur une piste : il flaire, scrute le contenu bouillonnant des casseroles, frémit d'impatience. Le fumet d'un somptueux cassoulet suffit à le mettre en transe. Ma femme dit que c'est un des convives pour qui il est le plus agréable de faire la cuisine.

Lorsqu'il appela, il y avait dans sa voix une pointe d'affolement.

« On est en mars, dit-il, et je m'inquiète pour les truffes. Est-ce qu'il en reste ? »

Mars, c'est la fin de la saison des truffes et, sur les marchés alentour, si près du pays de la truffe, au pied du mont Ventoux, les marchands, semblait-il, avaient disparu. J'annonçai à Frank qu'il avait peut-être trop tardé.

Silence horrifié à l'autre bout du fil. Il envisageait les privations gastronomiques qui le menaçaient : pas d'omelettes aux truffes, pas de truffes en croûte, pas de rôtis de porc aux truffes. On sentait sur la ligne un immense désappointement.

« Il y a un homme, dis-je, qui en a peut-être encore un peu. Je pourrais essayer de le voir. »

Frank ronronna de plaisir. « Excellent, excellent. Il m'en faudrait juste dans les deux kilos. »

Deux kilos de truffes fraîches aux prix de Paris, cela aurait représenté plus de mille livres sterling. Même en Provence, en évitant la cascade des intermédiaires et en achetant directement aux *caveurs* (si l'on veut, surtout en Provence, passer pour un vrai licencié ès truffes, ne jamais parler de chercheur, de chasseur ou de dénicheur de truffes, le seul mot qui vaille, *fan de pitchoune*, est caveur) avec leurs bottes crottées et leurs mains calleuses, l'investissement allait être impressionnant. Je demandai à Frank s'il était sûr d'en vouloir deux kilos.

« Ce serait dommage d'en manquer, répondit-il. Enfin, vois ce que tu peux faire. »

Mon seul contact avec le marché de la truffe se limitait à un numéro de téléphone griffonné au dos d'une addition par le chef d'un de nos restaurants préférés. Il nous avait assuré que, sur le chapitre des truffes, c'était un homme sérieux, d'une honnêteté irréprochable : ce qui n'est pas toujours le cas dans cet univers un peu louche dont on dit que les arnaques sont aussi nombreuses que les jours de soleil à Aix. J'avais entendu des histoires de truffes noyautées de chevrotine et encroûtées de boue pour les alourdir. Et, pire encore, de spécimens de qualité inférieure importés en fraude d'Italie et vendus comme des truffes authentiquement françaises. Sans un fournisseur fiable, on pouvait se faire coûteusement escroquer.

J'appelai le numéro que le chef m'avait donné en prenant soin de mentionner son nom à l'homme qui me répondit. Bon, on accepta mes lettres de créance. Que pouvait-on faire pour moi ?

Avait-il des truffes ? Peut-être deux kilos ?

« Oh là là ! dit la voix. C'est pour un restaurant ?

– Non, répondis-je, j'en cherche pour un ami anglais.

– Un Anglais ? Mon Dieu ! »

Après quelques minutes de *tss-tss* et de considérations sur la difficulté de trouver des truffes si tard dans la saison, M. X (son *nom de truffe*) me promit d'emmener son chien dans les collines et de voir ce qu'il pourrait trouver. Il me préviendrait, mais ça allait prendre un certain temps. Je devais rester auprès de mon téléphone et me montrer patient.

Une semaine s'écoula, presque deux. Et puis, un beau soir, le téléphone sonna.

« J'ai ce que vous voulez. Nous pouvons prendre rendez-vous pour demain soir. »

Il me dit d'attendre à six heures auprès d'une cabine téléphonique sur la route de Carpentras. Quelle était la marque de ma voiture ? Et la couleur ? Ah ! un détail important : pas de chèque. L'argent liquide, précisa-t-il, était plus agréable. (C'était là, je le découvris par la suite, une pratique courante dans le négoce de la truffe. Les fournisseurs ne croient pas à la paperasserie, ne délivrent pas de reçu et considèrent avec dédain la ridicule notion d'impôt sur le revenu.)

J'arrivai à la cabine téléphonique juste avant six heures. La route était déserte et je tâtais nerveusement la grosse liasse de billets que j'avais dans ma poche. Les journaux regorgeaient d'articles à propos de vols à main armée et autres incidents déplaisants sur les petites routes du Vaucluse. À en croire le chroniqueur criminel du *Provençal*, des bandes de voyous rôdaient dans la région, et les citoyens prudents seraient bien avisés de rester chez eux.

Qu'est-ce que je faisais ici dans le noir avec un rouleau de billets de 500 francs gros comme un salami, proie toute désignée et grasse à souhait ? Je fouillai la voiture en quête d'une arme défensive : je ne découvris qu'un panier à provisions et une édition périmée du Guide Michelin. Dix interminables minutes s'écoulèrent, puis j'aperçus des phares. Une camionnette Citroën cabossée arriva, à bout de souffle, et s'arrêta de l'autre côté de la cabine téléphonique. Chacun à l'abri dans sa voiture, le conducteur et moi échangeâmes un regard méfiant. Il était seul. Je sortis.

Je m'attendais à tomber sur un vieux paysan aux dents jaunies, au regard fuyant, et chaussé de bottes de toile : M. X était jeune, cheveux noirs taillés en brosse et fine moustache. Il avait un air affable. Il eut même un large sourire en me serrant la main.

« Vous n'auriez jamais trouvé ma maison dans le noir, expliqua-t-il. Suivez-moi. »

Nous repartîmes, quittant la grand-route pour un chemin de terre tortueux qui s'enfonçait de plus en plus profondément dans les collines. M. X roulait comme s'il était sur une autoroute et je cahotais derrière dans un bruit de ferraille. Il finit par franchir un étroit portail et se gara devant une maison plongée dans l'obscurité, au milieu d'un bouquet de chênes verts. J'ouvris la portière de ma voiture. Un berger allemand vint me flairer la jambe d'un air songeur : j'espérais qu'on l'avait nourri.

Sitôt la porte franchie, je sentis l'odeur des truffes : cette riche odeur de légère pourriture, que rien n'arrête à l'exception du verre et de l'étain. Même des œufs, quand on les range dans une boîte avec des truffes, en prennent le parfum.

Elles étaient bien là, sur la table de la cuisine, entassées dans un vieux panier : noires, noueuses, laides, savoureuses et horriblement chères.

« Voilà, dit M. X en me mettant le panier sous le nez. J'ai brossé la boue. Lavez-les juste avant de les manger. »

Il alla prendre au fond d'une armoire une antique balance qu'il pendit à un crochet fixé dans une poutre au-dessus de la table. L'une après l'autre, il vérifia les truffes d'une légère pression des doigts pour s'assurer de leur fermeté avant de les placer sur le plateau noirci : tout en opérant, il me parla de sa nouvelle expérience. Il avait acheté un porc vietnamien nain et il espérait le dresser à devenir un truffier de première qualité. Les porcs, expliqua-t-il, avaient un odorat plus fin que les chiens. L'inconvénient était que le cochon de taille normale avait les dimensions d'un petit tracteur : cela n'en faisait donc pas le compagnon de voyage idéal pour les expéditions sur les champs de truffes au pied du mont Ventoux.

Les aiguilles de la balance oscillèrent puis s'immobilisèrent sur deux kilos. M. X emballa les truffes dans deux sacs de toile. Puis il se lécha le pouce pour compter les billets que je lui remis.

« *C'est bieng.* » Il prit une bouteille de marc et deux verres et nous trinquâmes au succès de son projet de dressage de cochon. La saison prochaine, me proposa-t-il, il faudrait que je vienne avec lui pour voir le porc à l'ouvrage. Ce serait un pas de géant dans la technique de détection : le *super-cochon.* Quand je le quittai, il m'offrit une poignée de petites truffes et me donna sa recette d'omelette en me souhaitant bon voyage jusqu'à Londres.

L'odeur des truffes m'accompagna dans la voiture pendant tout le trajet du retour. Le lendemain, mon sac de voyage sentait la truffe : lorsque l'appareil se posa à Heathrow, une grisante bouffée sortit du compartiment à bagages quand j'en retirai mon sac pour passer les douanes britanniques. Des passagers me regardaient d'un air bizarre et s'écartaient, comme si j'en étais au stade terminal de la mauvaise haleine.

C'était l'époque de l'alerte à la salmonellose : je me voyais déjà traqué par un couple de chiens policiers et mis en quarantaine pour importation de substances exotiques susceptibles de mettre en danger la santé publique. Je franchis le contrôle des douanes d'un pas hésitant. Pas un frémissement de museau. Le chauffeur de taxi, en revanche, se montra extrêmement méfiant.

« Fichtre, dit-il, qu'est-ce que vous avez là-dedans ?

– Des truffes.

– Oh ! bon. Elles sont mortes depuis longtemps, hein ? »

Il ferma la glace de séparation : cela m'épargna l'habituel monologue des membres de sa corporation. Après m'avoir déposé devant la maison de Frank, il descendit pour ouvrir ostensiblement les vitres arrière.

Le magnat solitaire m'accueillit en personne et se précipita sur les truffes. Il fit circuler un des sacs de toile parmi ses invités attablés : certains d'entre eux ne savaient pas très bien ce qu'on leur faisait sentir. Il fit alors venir de la cuisine le chef de sa domesticité, un Écossais à l'allure si imposante que j'ai toujours envie de l'appeler Général-Dome.

« Je crois que nous devons nous occuper de ces petites choses sur-le-champ, Vaughan », dit Frank.

Vaughan haussa les sourcils et huma délicatement. Il connaissait.

« Ah ! fit-il, les belles truffes. Ce sera parfait avec le foie gras demain. »

M. X aurait approuvé.

C'était étrange de se retrouver à Londres après une absence de presque deux ans. Je me sentais dépaysé comme un étranger. J'étais surpris de voir combien j'avais changé. Ou peut-être était-ce Londres. On ne parlait que d'argent, des prix de l'immobilier, de la Bourse, d'O.P.A. et de fusions. Le temps, jadis traditionnel sujet de doléances en Angleterre, ne figurait plus dans les conversations. Le climat, au moins, n'avait pas changé : les jours s'écoulaient dans la grisaille d'une petite pluie fine, les gens courbant les épaules pour se protéger de l'eau qui ne cessait de tomber du ciel. La circulation était pratiquement au point mort, mais la plupart des conducteurs n'avaient pas l'air de s'en apercevoir : ils étaient trop occupés à parler dans leurs téléphones de voiture, sans doute d'argent et des prix de l'immobilier. J'avais la nostalgie de la lumière, des grands espaces et des ciels immenses de Provence : je compris que jamais je ne reviendrais de bon cœur vivre dans une ville.

Dans le taxi qui peu après me ramenait à l'aéroport, le chauffeur me demanda où j'allais. Quand je le lui eus dit, il hocha la tête d'un air entendu.

« J'ai visité la région une fois, me confia-t-il. C'était à Fréjus, en caravane. C'était fichtrement cher, la vie là-bas. »

Il me demanda 25 livres pour la course, me souhaita bon voyage et me mit en garde contre l'eau de Fréjus qui avait failli causer sa perte : trois jours de *tourista*, précisat-il. Sa femme, elle, avait été ravie.

Je quittai l'hiver pour retrouver le printemps et je franchis sans problème l'absence de contrôle en arrivant à Marignane. Voilà une chose que je n'ai jamais comprise : Marseille a la réputation d'être la plaque tournante de la moitié du trafic de drogue en Europe. Malgré cela, des passagers avec des sacs de voyage bourrés de hachisch, de cocaïne, d'héroïne, de cheddar ou de tout autre article de contrebande peuvent sortir de l'aéroport sans avoir à passer la douane. Le contraste avec Heathrow était saisissant.

M. X fut enchanté d'apprendre avec quel enthousiasme on avait accueilli ses deux kilos de truffes.

« C'est un amateur, votre ami ? »

Oui, répondis-je, en effet, mais certains de ses invités

ne savaient pas très bien ce qu'il fallait penser de cette
odeur. Je devinai presque son haussement d'épaules à l'autre
bout du fil. C'est un peu spécial : tout le monde n'aime pas
ça. Tant mieux pour les autres. Il eut un grand rire et prit
un ton confidentiel.
« J'ai quelque chose à vous montrer, annonça-t-il. Un
film que j'ai fait. Si vous voulez, on pourrait boire une
goutte de marc en le regardant. »
Lorsque je finis par trouver sa maison, le berger allemand m'accueillit comme un os égaré depuis longtemps :
M. X le rappela d'un sifflement bref, comme j'avais
entendu des chasseurs le faire en forêt.
« Il est joueur, vous savez », dit-il. J'avais déjà entendu
cela aussi.
Je le suivis à l'intérieur, jusque dans la fraîcheur de la
cuisine imprégnée de l'odeur des truffes. Il versa du marc
dans deux verres épais. Je l'appellerai Alain, *Alang* avec
l'accent provençal. Nous passâmes dans le salon : les
volets étaient fermés. S'accroupissant devant l'appareil, il
introduisit une cassette dans le magnétoscope.
« Voilà, expliqua Alain. Ça n'est pas Truffaut, mais
j'ai un ami qui a une caméra. Je voudrais maintenant
faire un autre film, mais plus professionnel. »
Le thème musical de *Jean de Florette* retentit et une
image apparut sur l'écran : Alain, vu de dos, et deux
chiens gravissant une pente rocailleuse ; au fond, le mont
Ventoux et sa crête blanche. Puis un titre : *Rabasses de
ma colline*. Alain m'expliqua que *rabasses*, c'était le mot
qui en provençal désignait les truffes.
Malgré la main mal assurée de l'opérateur et une certaine brusquerie dans le montage, c'était fascinant. Le
film montrait les chiens flairant puis grattant le sol, et
enfin creusant avec acharnement jusqu'au moment où
Alain les écartait : alors, avec des précautions infinies, il

palpait le terreau. Chaque fois qu'il trouvait une truffe, un biscuit ou un bout de saucisson venait récompenser les chiens : la caméra faisait alors un gros plan un peu saccadé sur une main maculée de terre qui tenait un objet lui aussi couvert de terre. Il n'y avait pas de bande son, mais Alain commentait les images au fil de la projection.

« Elle travaille bien, la petite », observa-t-il. L'image montrait un petit chien de race indéterminée qui inspectait le pied d'un chêne truffier. « Mais elle se fait vieille. » Elle se mit à creuser et Alain entra dans le champ : gros plan sur un museau crotté et sur les mains d'Alain repoussant la tête de l'animal. Ses doigts fouillaient la terre, retirant les pierres, et creusant patiemment jusqu'à ce qu'il eût fait un trou d'une quinzaine de centimètres.

Le film s'interrompit soudain pour montrer la tête fine au regard vif d'un furet. Alain se leva et pressa la commande de défilement accéléré du magnétoscope. « Ça, dit-il, ce n'est que de la chasse au lapin. Mais il y a quelque chose de pas mal et qu'on n'a pas souvent l'occasion de voir de nos jours. Bientôt, ce sera de l'Histoire. »

Il ralentit le défilement de la cassette : on voyait le furet qui se laissait sans entrain remettre dans un sac. Nouvelle coupe : on retournait cette fois à un bouquet de chênes. Une camionnette deux chevaux arriva en cahotant dans le champ de la caméra pour s'arrêter rapidement. Il en descendit un très vieil homme en casquette de toile et blouson bleu informe : il tourna vers l'objectif un visage rayonnant et se dirigea d'un pas lent vers l'arrière de la camionnette. Il regarda encore une fois la caméra en souriant avant de s'engouffrer par le hayon ouvert. Puis il se redressa, un bout de corde à la main, fit un nouveau sourire et se mit à tirer sur sa corde.

La camionnette frémit puis, centimètre par centimètre, on vit émerger le profil d'une tête de porc d'un rose douteux. Le vieil homme tira encore, plus fort : la monstrueuse créature descendit d'un pas incertain la rampe, agitant les oreilles et clignant des yeux. Je m'attendais presque à la voir suivre l'exemple de son maître et sourire à la caméra : mais elle resta là, immobile au soleil, énorme, placide, nullement émue par son statut de vedette.

« L'année dernière, déclara Alain, ce cochon a déterré près de 300 kilos de truffes. Un bon paquet, hein ? »

Je n'en croyais pas mes yeux : j'avais devant moi un animal qui avait gagné l'an dernier plus que la plupart des directeurs de société de Londres – et tout cela sans même un téléphone de voiture.

Le vieil homme et le cochon s'éloignèrent sous le couvert des arbres, comme pour faire une petite promenade : deux silhouettes aux formes arrondies tachetées par le soleil hivernal qui filtrait à travers le feuillage. L'écran soudain s'assombrit : la caméra filmait en gros plan une paire de bottes plantée sur un coin de terre. Un groin maculé de boue, gros comme un tuyau de gouttière, surgit dans le champ ; le cochon se mit à l'ouvrage, son groin fouissant le sol d'un mouvement régulier, ses oreilles lui battant les yeux : on aurait dit un bulldozer obstiné.

Une secousse agita la tête du porc. Contrechamp de la caméra pour montrer le vieil homme qui tirait sur sa corde. L'animal répugnait à abandonner ce qui était de toute évidence une senteur particulièrement agréable.

« Pour un cochon, expliqua Alain, l'odeur des truffes a quelque chose de sexuel. C'est pourquoi on a quelquefois du mal à le persuader de bouger. »

Le vieil homme n'avait pas de chance avec sa corde. Il se pencha et poussa de l'épaule contre le flanc du porc : au terme d'un rude affrontement, l'animal céda à regret. Le vieux fouilla dans sa poche et approcha quelque chose de son groin. Il ne lui faisait quand même pas manger des truffes à 50 francs pièce ?

« Des glands, précisa Alain. Maintenant, regardez bien. »

Le personnage agenouillé se redressa. Il se tourna vers la caméra, une main tendue, paume ouverte. On y voyait une truffe un peu plus grosse qu'une balle de golf et, à l'arrière-plan, le visage radieux du vieux paysan, avec le soleil qui étincelait sur ses dents en or. La truffe disparut dans un vieux sac en toile et le paysan passa à l'arbre voisin. La séquence s'achevait sur un plan du vieil homme tendant ses deux mains au creux desquelles s'entassaient de petites masses boueuses. Une bonne matinée de travail.

Je m'attendais à voir le cochon remonter dans la camionnette, opération qui, je l'imaginais, devait exiger ruse, dextérité, et des glands en abondance : mais le film s'achevait sur un long plan du mont Ventoux et encore quelques mesures de la musique de *Jean de Florette*.

« Vous voyez la difficulté avec un cochon normal, reprit Alain. J'espère que le mien aura le nez sans la... » De ses bras écartés, il indiqua la masse de la bête. « C'est une truie : venez donc la voir. Elle vous plaira. De plus elle porte un nom anglais : Peegy. »

Peegy vivait dans un enclos à côté des deux chiens d'Alain. Elle était à peine plus grosse qu'un corgi un peu empâté : elle était noire, bedonnante et timide. Nous nous penchâmes sur la clôture pour la regarder. Alain expliqua qu'elle avait très bon caractère : il allait commencer à la dresser maintenant que la saison était finie et qu'il avait davantage de temps. Je lui demandai comment il allait s'y prendre.

« Avec de la patience, répondit-il. J'ai dressé le berger allemand à devenir un truffier, et pourtant ça n'est pas son instinct. Je crois qu'on peut réussir le même exploit avec le cochon, peuchère ! »

Je dis que j'aimerais beaucoup le voir à l'œuvre : Alain m'invita à l'accompagner en hiver pour une journée

de chasse parmi les chênes truffiers. Il était à l'opposé des
paysans méfiants et renfermés qui, à ce qu'on racontait,
contrôlaient le marché de la truffe dans le Vaucluse :
Alain était un enthousiaste, qui ne demandait qu'à faire
partager sa passion.

Quand je partis, il m'offrit une affiche célébrant une
grande date dans l'histoire de la truffe. Dans le village de
Bedoin, au pied du mont Ventoux, on allait tenter de
battre un record du monde : la plus grande omelette aux
truffes jamais préparée, qui figure dans le *Livre des
Records*. Les chiffres étaient vraiment impressionnants :
70 000 œufs, 100 kilos de truffes, 100 litres d'huile,
11 kilos de sel et 6 kilos de poivre allaient être mélangés
– sans doute par une équipe de géants provençaux – dans
une poêle de dix mètres de diamètre. Les recettes iraient à
une œuvre de charité. Ce serait un jour inoubliable,
assura Alain. En ce moment même, des négociations
étaient en cours afin d'acquérir une flotte de bétonneuses
flambant neuves qui brasseraient les ingrédients pour leur
donner la consistance appropriée, le tout sous la super-
vision des plus distingués chefs du Vaucluse.

J'observai que ce n'était pas le genre de manifestation
normalement associé au négoce de la truffe. C'était trop
ouvert, trop public : pas du tout comme ces tractations
louches qui se déroulaient le plus souvent dans les petites
rues et sur les marchés.

« Ah ! ça... fit Alain. C'est vrai qu'il y a des gens un
peu... » Il eut un souple tortillement de la main : « ... *ser-
pentins.* » Il me regarda en m'adressant un grand sourire.
« La prochaine fois, je vous raconterai de ces histoires... »

Il me fit un geste d'adieu et je rentrai à la maison en
me demandant si je parviendrais à persuader Frank de
faire le voyage de Londres pour assister à la tentative de
record du monde de l'omelette. C'était le genre de curiosité gastronomique qui lui plairait. Il faudrait, bien sûr,

que Vaughan, le Général-Dome, vienne aussi. Je l'imaginais déjà, en impeccable tenue de caveur de truffes, dirigeant les opérations au fur et à mesure que les bétonneuses engloutissaient les ingrédients : « Encore un seau de poivre par ici, s'il vous plaît, mon brave. » Peut-être pourrions-nous lui dénicher une toque de chef, ornée du tartan de son clan, avec pantalon écossais assorti. J'en arrivai à la conclusion que je ne devrais pas boire de marc l'après-midi, ma tête étant dans un état d'ébullition suffisamment avancé.

2

Les crapauds chanteurs
de Saint-Pantaléon

De toutes les curieuses manifestations organisées pour célébrer la décapitation massive de l'aristocratie française voilà deux cents ans, une des plus étranges n'a jusqu'à maintenant jamais été évoquée. Même pas dans notre journal local, où des incidents aussi mineurs que le vol d'une camionnette au marché de Coustellet ou bien un tournoi de boules inter-villages ont souvent les honneurs de la première page – le chasseur de copie du *Provençal* n'était pas assez bien informé pour le relever. Ce récit est donc une exclusivité mondiale.

Ce fut à la fin de l'hiver que j'entendis pour la première fois parler de l'affaire. Deux hommes, dans le café en face de la boulangerie, à Lumières, discutaient d'un problème dont je ne m'étais jamais préoccupé : les crapauds savaient-ils chanter ?

Le plus grand des deux hommes, un maçon, à en juger par ses mains puissantes et couvertes de cicatrices et la fine couche de poussière qui recouvrait son bleu de travail, de toute évidence ne le croyait pas.

« Fan de lune, si les crapauds peuvent ch*in*ter, dit-il, alors je suis le président d*é* la Républiqu*é*... » Il prit une grande lampée de son verre de vin rouge. « Hé ! madame, rugit-il à l'intention de la femme installée devant le comptoir, qu'est-ce que vous en p*in*sez ? »

Madame était occupée à balayer le carrelage : elle leva les yeux et prit appui sur le manche de son balai tout en réfléchissant à la question.

« Évidemment, fit-elle, vous n'êtes pas le président de la République, peuchère! Mais pour ce qui est des crapauds... » Elle haussa les épaules. « Je ne connais rien aux crapauds. C'est possible. La vie est étrange. J'ai eu un jour un chat siamois qui utilisait toujours les toilettes, c'est tout juste s'il n'utilisait pas la chasse d'eau... J'ai une photo en couleurs pour le prouver. »

Le plus petit des deux hommes se renversa sur sa chaise comme si on venait de prouver quelque chose. « Tu vois? Tout est possible. Mon beau-frère m'a raconté qu'il y a à Saint-Pantaléon un homme qui a plein de crapauds. Il les entraîne pour le Bicentenaire.

– Hé bé? fit le maçon. Et qu'est-ce qu'ils vont faire? Agiter des drapeaux? Danser?

– Ils vont chanter. » Le petit homme termina son vin et repoussa sa chaise. « À ce qu'on m'assure, le 14 juillet ils pourront chanter *La Marseillaise.* »

Les deux hommes sortirent, discutant toujours. J'essayai d'imaginer comment on pouvait amener des créatures dont la voix a si peu de portée à reproduire des accents patriotiques qui font frémir d'orgueil chaque Français à la pensée de ces nobles têtes tranchées tombant dans des paniers.

Peut-être était-ce faisable. Je n'avais entendu que des grenouilles non dressées coassant en été dans les parages de la maison. Peut-être le crapaud, plus gros, et pourquoi pas plus doué, serait-il capable de couvrir plusieurs octaves et de tenir les notes appuyées. Mais comment dressait-on les crapauds et quel genre d'homme irait consacrer son temps à un tel défi? J'étais fasciné.

Avant de tenter de trouver l'homme de Saint-Pantaléon, je décidai de recueillir une seconde opinion.

Mon voisin Rivière devait s'y connaître en crapauds. Il savait, affirmait-il fréquemment, tout ce qu'il y avait à connaître de la nature : qu'il s'agît du temps ou de toute créature vivante qui marchait, volait ou rampait en Provence. Il était en terrain moins sûr quand on parlait politique ou prix de l'immobilier, mais concernant la vie sauvage, personne ne lui arrivait à la cheville.

Je suivis le sentier à la lisière de la forêt jusqu'au petit creux humide où la maison de Rivière était nichée au flanc d'une pente abrupte. Ses trois chiens se précipitèrent dans ma direction jusqu'au moment où leurs chaînes les obligèrent à se dresser sur leurs pattes de derrière. Je restai hors de portée et me mis à siffler. J'entendis le bruit de quelque chose qui tombait par terre, un juron – *putaing!* – et Rivière apparut sur le seuil les mains dégoulinantes de peinture orange.

Il s'avança dans l'allée, d'un coup de pied réduisit ses chiens au silence et me tendit son coude à serrer. Il faisait de la décoration, m'expliqua-t-il, pour rendre sa propriété encore plus attrayante quand il reprendrait ses efforts pour la vendre au printemps. Est-ce que je ne trouvais pas que l'orange était très gai ?

Je me confondis en propos admiratifs sur son goût artistique, puis je lui demandai ce qu'il pouvait me dire à propos des crapauds. Il tira sur sa moustache : il en avait peint la moitié en orange avant de se rappeler la peinture qu'il avait sur les doigts.

« Merde. » Il essuya sa moustache avec un chiffon, étalant ainsi de la peinture sur son teint déjà coloré auquel le vent et le mauvais vin avaient donné la patine d'une brique neuve.

L'air pensif, il secoua la tête.

« Je n'ai jamais mangé de crapaud, déclara-t-il. Des grenouilles, oui. Mais des crapauds, jamais. Ça doit être une recette anglaise, non ?

– Je n'ai pas l'intention de les manger. Je veux savoir s'ils savent chanter. »

Rivière me considéra un moment : il essayait de comprendre si je parlais sérieusement.

« Les chiens peuvent chanter, répondit-il. Il suffit de leur donner un coup de pied dans les couilles et... » Il leva la tête en hurlant de rire. « Peut-être bien que les crapauds chantent, qui sait ? Avec les animaux, tout est une question de dressage. Mon oncle de Forcalquier avait une chèvre qui dansait chaque fois qu'elle entendait un accordéon. À mon avis, pas de façon aussi gracieuse qu'un cochon que j'ai vu un jour avec des gitans. *Lui*, c'était un danseur. Très délicat, malgré sa taille. »

Je rapportai à Rivière les propos que j'avais surpris au café. Est-ce que, par hasard, il connaîtrait l'homme qui dressait les crapauds ?

« Non. Il n'est pas du coin. » Bien qu'à quelques kilomètres seulement de distance, Saint-Pantaléon était de l'autre côté de la Nationale 100 : on considérait donc que c'était en territoire étranger, et qu'il fallait un passeport pour passer l'octroi.

Rivière commençait à me raconter une histoire invraisemblable à propos d'un lézard apprivoisé quand il se souvint de sa peinture. Il me tendit de nouveau le coude et retourna à ses murs orange. En rentrant chez moi, j'en arrivai à la conclusion qu'il était inutile d'interroger nos autres voisins sur des événements qui se déroulaient dans des contrées aussi lointaines. Il me faudrait directement enquêter à Saint-Pantaléon.

Même pour un village, Saint-Pantaléon n'est pas une grande agglomération. Il pouvait compter cent habitants. Il y a une auberge. Une petite église du XIIᵉ siècle avec un cimetière creusé dans la roche. Les tombes sont vides depuis des années, mais les dalles demeurent, certaines de la taille d'un bébé. Il faisait ce jour-là un froid à vous retourner les orteils, et le mistral agitait les branches des arbres, nues comme des os.

Une vieille femme balayait le pas de sa porte, avec le vent dans le dos pour l'aider à chasser la poussière et les paquets de Gauloises vides sur le seuil de sa voisine. Je lui demandai si elle pourrait m'indiquer la maison du monsieur aux crapauds chanteurs. Elle leva les yeux au ciel et disparut dans la maison en claquant la porte derrière elle. En passant, je vis le rideau s'agiter derrière le carreau. Au déjeuner, elle parlerait à son mari d'un étranger fou qui rôdait dans les rues.

Juste avant le virage qui mène à l'atelier de M. Aude – la ferronnerie d'art –, un homme était penché sur sa mobylette, s'affairant avec un tournevis. Je l'interrogeai.

« Ben oui, fit-il, c'est M. Salques. On dit que c'est un amateur de crapauds, mais je ne l'ai jamais rencontré. Il habite en dehors du village. »

Je suivis ses indications et je tombai sur une petite maison de pierre un peu en retrait de la route. Le gravier de l'allée semblait avoir été peigné avec soin. La boîte aux lettres était fraîchement peinte. Une carte de visite, protégée par du rhodoïd, annonçait en belles rondes : *Honoré Salques, Études diverses.* Voilà qui semblait couvrir à peu près n'importe quel domaine. Je me demandai ce qu'il pouvait bien faire d'autre quand il ne dirigeait pas des chœurs de crapauds.

Il ouvrit sa porte au moment où je m'engageais dans l'allée et m'observa, la tête penchée en avant et le regard brillant derrière des lunettes à monture d'or. Il était extrêmement soigné, depuis ses cheveux noirs à la raie impeccable jusqu'à ses petites chaussures remarquablement cirées. Le pli de son pantalon était sans défaut. Il arborait une cravate. De l'intérieur de la maison, j'entendais les accents d'une flûte.

« Enfin ! soupira-t-il. Voilà trois jours que le téléphone

est en panne. C'est scandaleux. » Il me toisa. « Où sont vos
outils ? »

J'expliquai que je n'étais pas venu réparer son téléphone mais me renseigner à propos de ses passionnants
travaux sur les crapauds. Il se rengorgea, lissant sa cravate déjà parfaitement lisse d'une main blanche parfaitement manucurée.

« Vous êtes Anglais. Ça se voit. Quel plaisir
d'apprendre que la nouvelle de la petite manifestation que
je prépare est parvenue jusqu'en Angleterre. »

Je n'avais pas envie de lui dire qu'elle avait provoqué
une grande incrédulité dans un endroit aussi proche que
Lumières : comme il était maintenant de bonne humeur, je
lui demandai si je pourrais me permettre de rendre visite à
ses choristes.

Il émit un petit gloussement et brandit un doigt sous
mon nez. « Il est clair que vous ne connaissez rien aux
crapauds. Ils sont inactifs jusqu'au printemps. Mais, si
vous le souhaitez, je vais vous montrer où ils sont. Attendez là. »

Il entra dans la maison et réapparut, portant un épais
chandail pour se protéger du froid, une torche électrique à
la main ainsi qu'une étiquette sur laquelle on pouvait lire,
en rondes : *Studio*. Je traversai à sa suite le jardin jusqu'à
une construction en forme de ruche faite de pierres sèches
et plates : une des *bories* typiques de l'architecture du
Vaucluse voilà mille ans.

M. Salques ouvrit la porte et braqua le faisceau de sa
torche à l'intérieur de la borie. Contre les parois s'éta-
geaient des banquettes d'une terre sablonneuse descendant
en pente jusqu'à un petit bassin en plastique gonflable installé au beau milieu. Au plafond pendait un microphone.
Mais aucune trace des artistes.

« Ils dorment dans le sable », fit Salques en agitant sa
torche. « Ici – il braqua le faisceau sur le pied de la paroi

gauche –, j'ai un spécimen de *Bufo veridis*. Le son qu'il émet ressemble au chant du canari. » Il fronça les lèvres et me gratifia d'une trille. « Et par ici – la torche éclaira la banquette opposée –, le *Bufo calamita*. Il a un sac vocal capable d'une énorme expansion et son cri est très, très fort. » Il baissa le menton contre sa poitrine et se mit à coasser. « Vous vous rendez compte ? Il y a un contraste frappant entre les deux sonorités. »

M. Salques m'expliqua alors comment il allait produire de la musique à partir de ce qui me semblait un matériau bien peu prometteur. Au printemps, quand les fantasmes du Bufo l'entraîneraient vers des idées d'accouplement, les occupants de ces banquettes de sable allaient émerger et s'ébattre dans le bassin en chantant leur chanson d'amour. Pour des raisons de modestie génétique, cela ne se passait que la nuit mais – pas de problème – chaque fragile couinement, chaque viril coassement serait transmis par le truchement du microphone à un magnétophone installé dans le bureau de M. Salques. Là, on procéderait au montage, au mixage, on synthétiserait le tout et par la magie de l'électronique on ferait subir aux sons toutes sortes de transformations jusqu'à ce qu'on puisse reconnaître *La Marseillaise*.

Et ce n'était que le début. Avec 1992 pour ainsi dire à nos portes, M. Salques était en train de composer une œuvre totalement originale : un hymne national pour les pays du Marché commun. N'était-ce pas là une idée des plus excitantes ?

Loin de me sentir excité, j'eus une réaction de vive déception. J'avais espéré des numéros en direct : des groupes compacts de crapauds dont les énormes sacs vocaux se gonfleraient à l'unisson. Salques dirigeant depuis son estrade. Le crapaud vedette exécutant de sa voix contralto un solo poignant. Le public suspendu à chaque couinement et à chaque bouffée sonore. Ç'aurait été une expérience musicale dont j'aurais précieusement gardé le souvenir.

Mais un coassement traité électroniquement ? L'idée, certes, était excentrique : mais il lui manquait la démence sans limite d'un chœur de crapauds vivants. Pour ce qui était de l'hymne du Marché commun, je nourrissais de sérieux doutes. Si les bureaucrates de Bruxelles pouvaient passer des années à se mettre d'accord sur des questions aussi simples que la couleur d'un passeport et le nombre de bactéries acceptables dans les yoghourts, quel espoir d'obtenir un consensus sur un morceau de musique, pire encore : de musique chantée par des crapauds ? Que dirait Mme Thatcher ? En fait, je savais ce qu'elle dirait : « Il faut que ce soient des crapauds britanniques. » Mais je ne voulais pas mêler l'art à la politique. Je me contentai donc de poser la question qui me vint tout de suite à l'esprit : « Pourquoi des crapauds ? »

M. Salques me dévisagea comme si j'étais le dernier représentant de l'homme de néanderthal. « Parce que, déclara-t-il, ça n'a jamais été fait. »

Évidemment.

Durant les mois du printemps et du début de l'été, je songeai souvent à retourner voir comment se débrouillaient M. Salques et ses crapauds. Mais je décidai d'attendre juillet, le *Concerto Bufo* aurait alors été enregistré. Avec un peu de chance, j'entendrais peut-être aussi l'hymne du Marché commun.

Mais quand j'arrivai à Saint-Pantaléon, pas de M. Salques. Une femme au visage évoquant une noix dont on vient de briser la coque ouvrit la porte, serrant dans son autre main le bec d'un aspirateur.

Monsieur était-il là ? La femme recula dans la maison et éteignit l'aspirateur :

« Non. Il est allé à Paris. » Après une pause, elle ajouta : « Pour les cérémonies du Bicentenaire.

— Alors il a dû emporter sa musique ?

— Ça, je ne peux pas vous dire. Je suis la gardienne. »

Je ne voulais pas avoir fait le voyage totalement pour rien : je demandai donc si je pouvais voir les crapauds.

« Non. Ils sont fatigués. M. Salques a dit qu'il ne fallait pas les déranger.

— Je vous remercie, madame.

— De rien, monsieur. »

Dans les jours précédant le 14 juillet, les journaux ne parlaient que des préparatifs à Paris : les chars, les feux d'artifice, les chefs d'État invités, la garde-robe de Catherine Deneuve — mais nulle part je ne pus trouver mention, même dans les pages culturelles, des crapauds chanteurs. Le 14 juillet arriva et passa sans un seul coassement. Je savais bien qu'il aurait dû faire ça en direct.

3

Boy

Ma femme l'aperçut pour la première fois sur la route de Ménerbes. Il marchait auprès d'un homme dont la tenue élégante et soignée offrait un contraste frappant avec le triste aspect physique de l'animal : on aurait dit un tapis crasseux accroché à une carcasse. Pourtant, malgré le pelage emmêlé, la tête encroûtée de coques de châtaigne, il s'agissait manifestement d'un chien d'une espèce particulière à la France : une race de Pointer à poil dur connue officiellement sous le nom de griffon Korthals. Sous cet extérieur dépenaillé veillait un chien de race.

Nous avions un Korthals, mais on n'en voit pas souvent en Provence : ma femme arrêta donc la voiture pour engager la conversation avec un collègue propriétaire. Quelle coïncidence, commença-t-elle, qu'elle eût justement aussi un chien de cette race peu répandue.

L'homme examina son chien qui s'était arrêté pour prendre un bain de poussière : il recula d'un pas pour s'écarter de l'enchevêtrement de pattes et d'oreilles qui se tortillait dans le fossé.

« Madame, dit-il, il m'accompagne, mais ce n'est pas mon chien. Nous nous sommes rencontrés sur la route. Je ne sais pas à qui il appartient. »

Lorsque ma femme revint du village et me raconta l'histoire du chien, j'aurais dû pressentir les ennuis. Les

chiens sont pour elle ce que les manteaux de vison sont
pour d'autres femmes : elle aime en avoir une maison
pleine. Nous en avions déjà deux, ce qui me semblait tout
à fait suffisant. Elle en convint, mais sans conviction :
durant les jours suivants, je remarquai qu'elle ne cessait
de tourner vers la route un regard plein d'espoir pour voir
si l'apparition était toujours dans le voisinage.

L'affaire se serait sans doute arrêtée là si un ami
n'avait pas appelé du village pour nous dire qu'un chien
exactement comme le nôtre passait chaque jour s'installer
devant l'épicerie, attiré par l'odeur des jambons et des
pâtés faits maison. Tous les soirs il disparaissait. Personne
dans le village ne connaissait son maître. Peut-être était-il
perdu ?

Ma femme eut une *crise de chien*. Elle avait découvert
que la Société protectrice des animaux, la S.P.A., ne garde
qu'une semaine les chiens abandonnés ou perdus. Si personne ne vient les réclamer, on les pique. Comment pourrions-nous laisser un chien connaître ce triste sort, encore
moins une créature d'aussi noble extraction, au pedigree
incontestable ?

Je téléphonai à la S.P.A., mais je fis chou blanc. Ma
femme se mit à passer plusieurs heures par jour au village
sous prétexte d'aller acheter du pain : mais le chien avait
disparu. Quand je déclarai qu'il était certainement rentré
chez lui, ma femme me regarda comme si j'avais proposé
de rôtir un bébé pour dîner. Je retéléphonai à la S.P.A.

Deux semaines passèrent. Pas de trace du chien. Ma
femme dépérissait et l'homme de la S.P.A. commençait à
se lasser de nos appels quotidiens. Là-dessus, notre
contact à l'épicerie arriva avec des nouvelles fraîches : le
chien vivait dans la forêt devant la maison d'une de ses
clientes qui lui donnait des déchets et le laissait dormir sur
la terrasse.

J'ai rarement vu une femme réagir si rapidement.
Moins d'une demi-heure plus tard, mon épouse remontait

l'allée, arborant un sourire qu'on voyait à cinquante mètres. Auprès d'elle, dans la voiture, j'apercevais l'énorme tête ébouriffée de son passager. Elle descendit de voiture, toujours rayonnante.

« Il doit être affamé, dit-elle. Il a mangé sa ceinture de sécurité. N'est-ce pas qu'il est merveilleux ? »

On persuada le chien de quitter son siège et il vint se planter devant nous en agitant frénétiquement la queue. Il était terrifiant à voir : une boule de fourrure insalubre de la taille d'un berger allemand, une garniture de feuilles et de brindilles emmêlée dans les poils, les côtes saillantes et un immense museau brun pointant sous les broussailles de sa moustache. Il leva la patte contre la carrosserie de la voiture, projeta vigoureusement une volée de cailloux avant de s'allonger à plat ventre, les pattes arrière déployées derrière lui, quinze centimètres d'une langue rose parsemée de fragments de ceinture de sécurité pendant de sa gueule.

« N'est-ce pas qu'il est merveilleux ? » répéta ma femme.

Je lui tendis la main. Il se redressa, prit mon poignet entre ses mâchoires et entreprit de m'entraîner dans la cour. Il avait des dents très impressionnantes.

« Tu vois : il t'aime déjà. »

Je demandai si nous pourrions lui offrir autre chose à manger pour récupérer mon poignet mordillé. Il fit trois bouchées d'un grand saladier de pâtée pour chien. Il alla bruyamment s'abreuver à un seau d'eau et s'essuya les moustaches en se roulant dans l'herbe. Nos deux chiennes ne savaient pas quoi faire de lui, et moi non plus.

« Pauvre bête, dit ma femme. Il va falloir l'emmener chez le vétérinaire et le faire tondre. »

Il y a dans tous les mariages des moments où il est vain de discuter. Je pris un rendez-vous pour l'après-midi même avec Mme Hélène, *Toilettage de chiens* : aucun

vétérinaire respectable ne voudrait le toucher dans l'état
où il se trouvait. J'espérais que Mme Hélène était habi-
tuée aux problèmes de toilettage des chiens de campagne.

Une fois le premier choc passé, elle se montra d'une
étonnante bravoure. Son autre client, un caniche nain couleur abricot, poussa des gémissements plaintifs en essayant
de se cacher dans un porte-magazines.

« Il vaudrait peut-être mieux, proposa-t-elle, que je
m'occupe de celui-ci d'abord. Il sent très fort, n'est-ce
pas ? Où est-il allé ?

— Dans la forêt, je crois.

— Hmm. » Mme Hélène fronça le nez et passa une
paire de gants de caoutchouc. « Pouvez-vous revenir dans
une heure ? »

J'achetai un collier antipuces et m'arrêtai pour
prendre une bière au café de Robion tout en essayant de
m'habituer à la perspective d'une famille à trois chiens.
Certes, il y avait toujours la possibilité de découvrir le précédent propriétaire : je n'aurais alors que deux chiens et
une femme en larmes. Mais, dans tous les cas, le choix ne
dépendait pas de moi. Il existait un ange gardien pour les
chiens, ce serait lui qui déciderait. J'espérais qu'il faisait
son travail sérieusement.

Quand je revins, le chien était attaché à un arbre dans
le jardin de Mme Hélène : il se trémoussa de plaisir
quand je franchis la grille. On l'avait tondu ras : sa tête
paraissait encore plus grande et ses os encore plus proémi-
nents. La seule partie de sa personne qui avait échappé à
ce sévère élagage, c'était son petit bout de queue : il pré-
sentait une frange broussailleuse comme une houppette
dont on aurait taillé les bords. Il avait un air insensé,
extravagant. On aurait dit un chien dessiné par un enfant,
mais au moins il sentait le propre.

Il était ravi de se retrouver dans la voiture : il s'assit
tout droit sur la banquette, se penchant de temps en temps

pour me mordiller le poignet en émettant de petits grogne-
ments que je supposais être des signes de satisfaction.

En vérité, il devait plutôt s'agir de faim : il se précipita
sur le repas qui l'attendait à la maison, une patte posée
dans le saladier vide pour l'immobiliser tandis qu'il
s'acharnait à en lécher l'émail. Mon épouse l'observait
avec cette expression que la plupart des femmes réservent
à des enfants bien élevés et intelligents. Je m'armai de
courage, et déclarai que nous devrions commencer à penser à retrouver son maître.

La discussion se poursuivit pendant le dîner, le chien
endormi sous la table sur les pieds de ma femme et ron-
flant bruyamment. Nous convînmes qu'il devrait passer la
nuit dans une cabane du jardin en laissant la porte ouverte
pour qu'il puisse s'en aller s'il en avait envie. S'il était
encore là le lendemain matin, nous téléphonerions au seul
autre homme de la région à avoir à notre connaissance des
Korthals, pour lui demander son avis.

Ma femme se leva à l'aube et je fus réveillé peu après
par un visage poilu qui se jetait sur le mien : le chien était
toujours avec nous. Nous comprîmes rapidement qu'il
était déterminé à rester et qu'il savait exactement comment il allait nous convaincre que la vie sans lui serait
impensable. C'était un flatteur éhonté. Un seul regard de
nous suffisait à faire frémir tout son corps osseux d'un
ravissement manifeste. Une caresse le plongeait dans
l'extase. Deux ou trois jours de ce régime et il savait que
nous serions perdus. Avec des sentiments mêlés, j'appelai
M. Grégoire, l'homme que nous avions rencontré un jour
à Apt avec ses Korthals.

Sa femme et lui passèrent le lendemain pour inspecter
notre pensionnaire. M. Grégoire lui regarda l'intérieur
des oreilles pour voir si on ne lui avait pas tatoué le
numéro qui permet d'identifier les chiens avec pedigree
quand ils s'égarent. Tous les maîtres sérieux, expliqua-

t-il, font cela. Les immatriculations sont en mémoire
dans un ordinateur à Paris : si l'on trouve un chien
tatoué, le service central vous met en relation avec son
propriétaire.

M. Grégoire secoua la tête. Pas de tatouage. « Bon,
conclut-il, il n'est pas tatoué et il n'a pas eu une alimentation correcte. Je pense que c'est un chien abandonné : sans doute un cadeau de Noël qui est devenu
trop grand. Ça arrive souvent. Il sera bien mieux avec
vous. » Le chien agita les oreilles et remua vigoureusement la queue. Ce n'était pas lui qui allait protester.

« Comme il est beau ! » dit Mme Grégoire. Là-
dessus, elle fit une proposition qui aurait aisément aug-
menté la population canine de notre maison jusqu'à lui
faire dépasser la dizaine. Que pensions-nous, demanda-
t-elle, d'un mariage entre cet enfant trouvé et leur jeune
chienne ?

Je savais ce que pensait l'un de nous. Mais déjà les
deux femmes échafaudaient des plans pour ce roma-
nesque épisode.

« Il faudra que vous veniez chez nous, proposa Mme
Grégoire. Nous boirons une coupe de champagne pendant que tous les deux seront... – elle chercha un terme
délicat – ... occupés dehors. »

Par bonheur, son mari avait un esprit plus pratique.
« Tout d'abord, dit-il, il faut voir s'ils sympathisent.
Ensuite, peut-être... » Il examina le chien du regard
d'un beau-père qui jauge son futur gendre. Le chien
posa une grosse patte sur son genou. Madame se mit à
roucouler. J'étais devant un fait accompli.

« Mais nous avons oublié quelque chose », reprit
Madame après un nouvel accès de roucoulements.
« Comment s'appelle-t-il ? Il lui faudrait un nom
héroïque, vous ne trouvez pas ? Avec cette tête-là ! » Elle
caressa le crâne du chien qui roula vers elle des yeux

langoureux. « Quelque chose comme Victor, ou bien Achille. »

Le chien s'allongea sur le dos, les pattes en l'air. Il aurait fallu beaucoup d'imagination pour le qualifier d'héroïque : mais il était visiblement du sexe masculin et sur-le-champ nous lui trouvâmes un nom.

« Nous pensions l'appeler Boy. Ça veut dire garçon en anglais.

– Boy ? Mais c'est génial ! » affirma Madame. Il fut donc baptisé Boy.

Nous convînmes de l'emmener rencontrer sa fiancée, comme l'appelait Madame, dans deux ou trois semaines : quand il aurait été vacciné, tatoué, convenablement nourri et transformé en un prétendant aussi présentable que possible. Entre ses voyages chez le vétérinaire et les énormes repas qu'il engloutissait, il passait son temps à se faire sournoisement une place dans la maison. Chaque matin, il attendait devant la porte de la cour, poussant de petits cris d'excitation à la perspective de la journée qui l'attendait et il s'emparait du premier poignet qui passait à sa portée. Au bout d'une semaine, il passa d'une couverture dans la cabane à un panier dans la cour. Dix jours plus tard, il dormait dans la maison, sous la table de la salle à manger. Nos deux chiennes étaient résignées. Ma femme lui acheta comme joujoux des balles de tennis qu'il dévora. Il poursuivait les lézards et découvrit les délices de se rafraîchir en s'asseyant sur les marches qui descendaient dans la piscine. Bref, il était au paradis des chiens.

Arriva le jour prévu pour ce que Mme Grégoire décrivait comme *le rendez-vous d'amour* : nous traversâmes les collines spectaculaires qui dominent le Saignon, où M. Grégoire avait transformé de vieilles écuries de pierre en une longue maison basse d'où l'on découvrait la vallée et au loin le village de Saint-Martin de Castillon.

Boy s'était remplumé, il avait le pelage plus dru. Mais il lui manquait toujours un vernis mondain. Il jaillit de la voiture, leva la patte sur un jeune arbre récemment planté, après quoi il laboura de ses pattes arrière un carré de gazon tout neuf. Madame le trouva charmant. Monsieur, semblait-il, n'en était pas si sûr : je le vis regarder Boy d'un œil légèrement critique. Leur chienne l'ignora : elle préféra se concentrer sur une série d'embuscades tendues à nos deux autres chiens. Boy escalada un tertre au bout de la maison et sauta sur le toit. Nous entrâmes dans la maison pour prendre du thé et des cerises à l'eau-de-vie.

« Il a l'air en bonne forme, ce Boy, observa M. Grégoire.

– Magnifique, renchérit Madame.

– Oui, mais... » Quelque chose tracassait Monsieur. Il se leva pour aller chercher un magazine. C'était le dernier numéro de l'organe officiel du club des Korthals de France : une page après l'autre de photographies représentant des chiens en position d'arrêt, des chiens avec des oiseaux dans la gueule, des chiens qui nageaient, des chiens docilement assis aux pieds de leur maître.

« Vous voyez, remarqua Monsieur, ils ont tous le pelage classique, le poil dur ; c'est une caractéristique de la race. »

J'examinai les photos. Les chiens avaient tous un pelage plat et dru. Je me tournai vers Boy qui pressait maintenant son grand museau marron contre la fenêtre. Après la tonte, sa robe était maintenant une masse de bouclettes grises et brunes que nous trouvions assez distinguée. Mais pas M. Grégoire.

« Malheureusement, déclara-t-il, en grandissant, il s'est mis à ressembler à un mouton. Depuis le cou jusqu'au museau, c'est un Korthals. Ensuite, c'est un mouton. Je suis désolé, mais ce serait une mésalliance. »

Ma femme faillit s'étrangler avec ses cerises à l'eau-de-vie. Madame semblait consternée. Monsieur se confondait en excuses. Pour ma part, j'étais soulagé. Deux chiens et un mouton suffiraient pour le moment.

À notre connaissance, Boy est toujours célibataire.

4

Les napoléons du fond du jardin

À une extrémité de la piscine, nos entrepreneurs avaient laissé une collection de souvenirs de leurs travaux, disposée en une longue pile basse. Des moellons et des dalles fêlées, de vieux commutateurs et du fil électrique endommagé, des cannettes de bière et des tuiles cassées. Il était entendu qu'un jour Didier et Claude reviendraient avec un camion vide pour nous débarrasser des débris. Ce bout de terrain serait *impeccable* : nous pourrions y planter l'allée de rosiers que nous avions prévue.

Mais, allez savoir pourquoi, le camion vide n'était jamais venu. Claude s'était cassé un orteil. Didier était occupé à démolir avec son ardeur coutumière une maison au fin fond des Basses-Alpes. La pile de souvenirs restait au bout de la piscine. Avec le temps, elle commençait à prendre une certaine beauté : une rocaille sans prétention adoucie par un robuste tapis de mauvaises herbes, parsemé de coquelicots. Je tentai de convaincre ma femme que cela avait le charme fou de la nature en liberté. En vain. En général, répliqua-t-elle, elle préférait les roses aux décombres et aux cannettes de bière, fussent-elles parsemées de coquelicots. J'entrepris de déblayer.

À vrai dire, j'aime le travail manuel, le rythme qu'il impose et la satisfaction de voir émerger l'ordre d'un fatras abandonné à lui-même. Au bout de deux semaines,

j'atteignis le sol et je me retirai triomphant, les mains clo-
quées d'ampoules. Ma femme était enchantée. Maintenant, déclara-t-elle, tout ce qu'il nous faut, ce sont deux
profondes tranchées, cinquante kilos d'engrais : ensuite on
pourra planter. Elle se plongea dans des catalogues de
roses. Je soignai mes ampoules et je fis l'acquisition d'une
pioche. Je m'étais escrimé sur environ trois mètres de
terre bien tassée lorsque j'aperçus parmi les mauvaises
herbes un miroitement d'un jaune sale. De toute évidence,
un fermier mort depuis longtemps avait, voilà des années,
jeté là par un chaud après-midi une bouteille de pastis
vide. Je déblayai la terre. Il ne s'agissait pas du bouchon
d'une vieille bouteille : c'était une pièce de monnaie. Je la
rinçai sous le jet du tuyau d'arrosage et elle brilla au soleil
d'un éclat doré : les gouttes d'eau ruisselaient sur un profil
barbu.

C'était une pièce de 20 francs datée de 1867. Sur un
côté on voyait la tête de Napoléon III avec son bouc bien
taillé et sa situation sociale – empereur – gravée en caractères majestueux en face de son nom. Du côté pile, une
couronne de lauriers, entourée d'une inscription en caractères plus nobles encore proclamant : *Empire français*. Sur
le listeau on pouvait lire la réconfortante déclaration dont
chaque Français sait qu'elle est vraie : *Dieu protège la
France*.

Ma femme était aussi excitée que moi. « Il y en a
peut-être plein d'autres, dit-elle. Continue à creuser. »

Dix minutes plus tard, je découvris une deuxième
pièce de monnaie, une autre pièce de 20 francs. Celle-ci
était datée de 1869 et le passage des années n'avait pas
laissé de traces sur le profil de Napoléon à cela près
qu'une couronne lui était poussée sur la tête. Je restai figé
dans le trou et je me livrai à quelques calculs sommaires.
Il y avait encore une vingtaine de mètres de tranchée à
creuser. Au rythme actuel d'une pièce d'or par mètre,

nous pourrions bien nous retrouver avec un sac plein de
napoléons : peut-être même pourrions-nous nous permettre de déjeuner à *Beaumanière*, aux Baux. Je maniai
la pioche jusqu'à en avoir les paumes en sang : je m'enfon-
çai de plus en plus profondément dans le sol, guettant à
travers les gouttes de sueur un autre clin d'œil de l'empereur.

Je ne me retrouvai pas plus riche à la fin de la journée, mais avec un trou assez grand pour y planter un
arbre adulte et la conviction que demain je trouverais
d'autres trésors. Personne n'irait enterrer deux mal-
heureuses pièces : de toute évidence elles étaient tombées
du sac rebondi qui gisait encore à portée de ma pioche.
Une fortune pour un jardinier plein d'énergie.

Pour nous aider à estimer l'ampleur de cette fortune,
nous consultâmes la section financière du *Provençal*. Dans
un pays où par tradition on garde ses économies en or sous
le matelas, on devait certainement trouver le cours actuel
du napoléon. Il était là en effet, entre le lingot d'or d'un
kilo et la pièce de 50 pesos mexicaine : le 20 francs de
Napoléon valait aujourd'hui 396 francs, et peut-être
davantage si la pièce était comme neuve.

Jamais pioche ne fut maniée avec plus d'enthousiasme : mais comme il fallait s'y attendre, cela attira
l'attention d'Amédée. Alors qu'il s'apprêtait à engager la
lutte contre le mildiou qui, il en était convaincu, se prépa-
rait à attaquer les vignes, il s'arrêta pour me demander ce
que je faisais. « Je plante des roses, répondis-je.

— Peuchère ! Ils doivent être grands, ces rosiers, pour
avoir besoin d'un trou de cette taille-là, des rosiers buis-
sonnants, peut-être ? Qui viennent d'Angleterre en convoi
spécial ? C'est difficile ici pour les roses. Il y a partout la
gale. »

Il secoua la tête et je sentis qu'il allait me faire partager son pessimisme. Amédée entretient d'étroites relations

avec toutes sortes de catastrophes naturelles et il ne demande qu'à faire profiter de cette connaissance encyclopédique tous ceux qui sont assez stupides pour nourrir quelque espoir. Pour le réconforter, je parlai des napoléons d'or.

Il s'accroupit au bord de la tranchée et repoussa sur sa nuque sa casquette tachée de bleu par les pulvérisations antimildiou, se gratta le dessus du crâne et prêta une attention soutenue à la nouvelle.

« Normalement, dit-il, quand il y a un ou deux napoléons, ça signifie qu'on va en trouver d'autres. Mais ce n'est pas une bonne cachette ici. » De sa large patte brune il désigna la maison. « Le puits serait un endroit plus sûr. Ou derrière une cheminée. »

Je suggérai qu'on les avait peut-être cachés dans la précipitation. Amédée secoua de nouveau la tête : je compris que la hâte n'était pas un concept intellectuel qu'il admettait, surtout s'agissant de dissimuler des sacs d'or. « Un paysan n'est jamais aussi pressé que ça. Pas pour des napoléons. C'est simplement par malchance qu'ils sont tombés ici. »

Je répondis que c'était de la chance pour moi. Sur cette constatation déprimante, il partit en quête de quelque catastrophe dans le vignoble.

Les jours passèrent. Mes ampoules s'épanouissaient. La tranchée devenait plus longue et plus profonde. Le compte des napoléons stagnait à deux unités. Pourtant, ça n'avait pas de sens. Aucun paysan n'irait travailler dans les champs avec des pièces d'or dans sa poche. Il y avait là quelque part une cache, j'en étais certain, à quelques pieds de l'endroit où je me trouvais.

Je décidai d'aller chercher d'autres conseils auprès de celui qui se proclamait le père de la vallée, l'homme pour qui la Provence n'avait plus de secret, le sage, vénal et astucieux Rivière. Si quelqu'un pouvait deviner, rien qu'en humant le vent et en crachant par terre, où un vieux paysan rusé avait enfoui les économies de toute une vie, c'était bien Rivière.

Je traversai la forêt jusqu'à sa maison. J'entendis ses chiens assoiffés de sang se mettre à aboyer dès qu'ils eurent flairé mon odeur. Un jour, j'en étais certain, ils briseraient leurs chaînes et estropieraient toutes les créatures vivantes de la vallée : j'espérais qu'il aurait vendu sa maison avant.

Rivière s'avança dans ce qu'il se plaisait à appeler son parterre : une étendue de terre nue, inlassablement piétinée, décorée de crottes de chien et de bouquets de mauvaises herbes acharnées. Il me regarda, clignant des yeux dans le soleil et la fumée de sa grosse cigarette jaune, et grommela :

« On se promène ?

– Non, répondis-je. Aujourd'hui j'étais venu vous demander conseil. »

Nouveau grommellement et, d'un coup de pied, il imposa silence à ses chiens. Nous étions chacun d'un côté de la chaîne rouillée qui séparait sa propriété du chemin forestier : assez près pour que je perçoive la puissante odeur d'ail et de tabac noir qui émanait de sa personne. Je lui parlai des deux pièces de monnaie : il décolla sa cigarette de sa lèvre inférieure, inspecta le mégot humide tandis que ses chiens marchaient de long en large au bout de leurs chaînes, grognant sous poils.

Il logea sa cigarette sous une extrémité de sa moustache jaunie et se pencha vers moi.

« À qui avez-vous parlé de ça ? »

Il regardait par-dessus mon épaule comme pour bien s'assurer que nous étions seuls.

« À ma femme. Et à Amédée. C'est tout.

– N'en parlez à personne d'autre », dit-il en tapotant l'aile de son nez d'un doigt crasseux. « Il se peut qu'il y ait d'autres pièces. Il faut garder ça entre nous. »

Nous reprîmes le chemin pour que Rivière puisse voir où avaient été découvertes les deux pièces : il en profita pour me donner son explication de la passion des Français pour l'or. Les responsables, me dit-il, étaient les politiciens : ça avait commencé avec la Révolution. Après cela, il y avait eu des empereurs, des guerres, une succession de présidents – pour la plupart des crétins, précisa-t-il en crachant pour souligner son propos – et des dévaluations qui du jour au lendemain pouvaient transformer 100 francs en 100 centimes. Pas étonnant que le simple paysan ne se fie pas à des bouts de papier imprimés par ces salauds de Paris. Mais l'or – Rivière tendit les mains devant lui en plongeant les doigts dans un tas imaginaire de napoléons –, l'or avait toujours de la valeur et, dans les époques troublées, il en avait encore davantage. Et celui qui avait la plus grande valeur, c'était l'or d'un mort parce que les morts ne discutent pas. Quelle chance nous avions, lui et moi, conclut Rivière, de tomber sur une occasion qui présente aussi peu de complications. J'avais, semble-t-il, un associé.

Nous descendîmes dans la tranchée : Rivière tirait sur sa moustache tout en inspectant les lieux. Le terrain était plat, en partie planté de lavande, en partie couvert d'herbe. Pas d'emplacement naturel pour une cachette : Rivière vit là un signe encourageant. Un emplacement évident aurait été découvert voilà cinquante ans et « notre » or aurait été enlevé. Il remonta de la tranchée et arpenta la distance jusqu'au puits avant de se jucher sur le muret de pierre.

« Ça pourrait être n'importe où par ici », dit-il en balayant d'un geste large une cinquantaine de mètres carrés de terrain. « Évidemment, c'est trop pour vous à creuser. » Notre partenariat n'allait manifestement pas jusqu'à partager l'effort physique. « Ce qu'il nous faut, c'est un *machin* pour détecter les métaux. » Il imita du bras un détecteur de métaux et le passa au-dessus de l'herbe tout en émettant des cliquètements. « Ben oui. Avec ça, on le trouvera.

– Alors, qu'est-ce qu'on fait ? » Rivière esquissa le geste universel pour désigner l'argent : il frotta son pouce contre ses doigts. Le moment était venu d'une réunion d'affaires.

Nous convînmes que je terminerais de creuser la tranchée : Rivière se chargerait de la haute technologie en louant un détecteur de métaux. Il ne restait plus qu'à fixer la participation financière des associés. Je suggérai que 10 % serait un prix raisonnable pour rémunérer un travail peu accablant avec un détecteur de métaux. Rivière, toutefois, répondit qu'il se sentirait plus à l'aise avec 50 %. Il y avait le voyage jusqu'à Cavaillon pour aller chercher le détecteur. Les travaux de creusement qu'il faudrait entreprendre quand nous aurions repéré l'or. Et, le plus important, la confiance que je pourrais éprouver en ayant un partenaire d'une parfaite honnêteté qui n'irait pas raconter dans tout le voisinage les détails de notre nouvelle fortune. Il fallait, répéta Rivière, ne souffler mot de tout cela à personne.

Je le regardais sourire et hocher la tête en me disant qu'il serait difficile d'imaginer une vieille canaille plus indigne de confiance de ce côté-ci des barreaux de la prison de Marseille. « 20 % », répliquai-je. Il grimaça, soupira, m'accusa d'être un grippe-sou et finit par accepter 25 %. Nous topâmes là-dessus et en partant il cracha dans la tranchée pour nous porter bonheur.

Je ne le revis pas avant plusieurs jours. Je terminai la tranchée, l'arrosai d'engrais et commandai les roses. L'homme qui me les livra me dit que j'avais creusé beaucoup trop profond : il me demanda pourquoi mais je me gardai bien de lui révéler « notre » secret.

On éprouve en Provence une aversion universelle pour tout ce qui ressemble à des projets mondains. Le Provençal préfère vous faire la surprise d'une visite en passant plutôt que de téléphoner d'abord pour s'assurer que vous êtes libre. Quand il arrive, il compte que vous aurez du temps à lui consacrer : d'abord vous aurez la courtoisie de lui offrir un verre puis de converser en tournant autour du pot avant qu'il en arrive au véritable but de sa visite. Si vous lui dites que vous devez sortir, il sera déconcerté. Pourquoi se presser ? Une demi-heure, ce n'est rien. Vous serez juste un peu en retard, mais c'est normal.

La nuit tombait quand, entre chien et loup comme on dit, nous entendîmes une camionnette bringuebalante s'arrêter devant la maison. Nous allions dîner chez des amis à Goult : nous sortîmes donc pour éconduire le visiteur avant qu'il eût atteint le bar et qu'il fût impossible de l'en déloger.

La camionnette avait son hayon grand ouvert et tanguait de gauche à droite. Quelque chose heurta le plancher avec un bruit sourd suivi d'un juron : « *Putaing !* » C'était mon associé : il se débattait avec une pioche coincée dans la grille métallique qui séparait les chiens de la banquette du conducteur. Une dernière convulsion dégagea la pioche : Rivière émergea à reculons, un peu plus vite qu'il ne l'avait escompté.

Il arborait un pantalon de camouflage, un chandail d'un brun grisâtre et un chapeau des surplus américains vert jungle, tout cela n'étant plus très neuf : on aurait dit un mercenaire mal payé. Il déchargea son matériel et le déposa sur le sol : la pioche, une pelle de maçon à long manche et un objet enveloppé dans de la vieille toile de sac. Jetant un coup d'œil à la ronde pour voir si personne ne l'observait, il déballa l'objet et brandit le détecteur de métaux.

« Voilà ! C'est du haut de gamme ! Sensible jusqu'à une

profondeur de trois mètres. » Il le brancha et le passa
au-dessus de ses outils. L'appareil détecta aussitôt la
pelle et la pioche, en jacassant comme un dentier agité
de soubresauts. Rivière était aux anges. « Vous voyez ?
Quand il découvre du métal, il parle. C'est mieux que
de creuser, hein ? »

C'était très impressionnant, et je promis de le garder
soigneusement sous clé dans la maison jusqu'au lendemain.

« *Demaing ?* fit Rivière. Mais fan de lune il faut
commencer tout de suite ! »

Je protestai qu'il ferait nuit dans une demi-heure :
Rivière hocha patiemment la tête comme si j'avais enfin
compris une théorie très complexe.

« Exactement ! » Il reposa le détecteur et me prit par
le bras. « Nous ne tenons pas à ce que tout le monde
nous observe, n'est-ce pas ? Il vaut mieux faire ce genre
de travail la nuit. C'est plus discret. Allez ! Vous, portez
les outils.

– Il y a une autre difficulté, dis-je. Ma femme et
moi sortons. »

Rivière s'arrêta net et me dévisagea. Ses sourcils se
déployaient sur toute leur hauteur dans sa stupéfaction.

« Vous sortez ? Ce soir ? *Maintenant ?* »

Ma femme m'appela de la maison. Nous étions déjà
en retard. Rivière eut un haussement d'épaules devant
l'étrangeté de nos horaires, mais il insista : ce soir,
c'était le grand soir. Eh bien, dit-il d'un ton plaintif, il
n'aurait qu'à s'y mettre tout seul. Est-ce que je pouvais
lui prêter une torche ? Je lui montrai comment brancher
le projecteur derrière le puits. En pestant contre l'irres-
ponsable qui l'abandonnait au seuil de Fort Knox, il le
régla de telle façon qu'il éclairait tout le secteur auprès
des rosiers.

Nous nous arrêtâmes à mi-chemin de l'allée et

regardâmes la longue silhouette de Rivière évoluer parmi les arbres qui baignaient dans le faisceau du projecteur. Le cliquetis du détecteur de métaux portait loin dans l'air du soir : j'avais quelques doutes sur le secret de notre entreprise. Nous aurions aussi bien pu planter un panneau au bout de l'allée annonçant ATTENTION CHERCHEURS D'OR.

Au cours du dîner, nous racontâmes à nos amis la chasse au trésor qui se déroulait sous le couvert de l'obscurité. Le mari, qui était né et avait grandi dans le Luberon, ne se montra pas optimiste. Il nous dit que, quand on avait commencé à trouver des détecteurs de métaux dans le commerce, ils étaient plus recherchés par les paysans que les chiens de chasse. C'était vrai qu'on avait trouvé de l'or. Mais aujourd'hui, ajouta-t-il, la région avait été si soigneusement passée au peigne fin que Rivière pourrait s'estimer heureux s'il trouvait un vieux fer à cheval.

Malgré tout, il ne pouvait nier l'existence de nos deux napoléons. Ils étaient là, sur la table, devant lui. Il les prit et les fit tinter dans sa main. Qui sait ? Peut-être aurions-nous de la chance. Ou peut-être serait-ce Rivière qui en aurait et nous n'en entendrions jamais parler. Était-ce quelqu'un à qui on pouvait se fier ? Ma femme et moi échangeâmes un regard : nous décidâmes qu'il était l'heure de partir.

Il était un peu plus de minuit quand nous rentrâmes : la camionnette de Rivière avait disparu. Les projecteurs étaient éteints, il y avait assez de lune pour nous permettre de distinguer de gros tas de terre répartis au petit bonheur la chance sur ce que nous nous efforcions de transformer en pelouse. Nous décidâmes d'attendre le lendemain matin pour affronter l'étendue des dégâts.

Une taupe géante, rendue folle par la claustro-phobie, avait dû remonter prendre l'air et recracher de pleines goulées de métal. Il y avait des clous, des frag-ments de jantes de charrette, un vieux tournevis, la moi-tié d'une faucille, une grosse clé qui avait dû fermer des portes de donjon, une cartouche en cuivre, des boulons, des capsules de bouteille, les débris d'une houe, des lames de couteau, le fond d'une ruche, des nids d'oiseaux en ruban d'emballage, des débris complète-ment rouillés impossibles à identifier. Mais pas d'or.

La plupart des rosiers nouvellement plantés avaient survécu. Le parterre de lavande était intact. Rivière avait dû se trouver à court d'enthousiasme.

Je le laissai dormir, et sur le coup de quinze heures j'allai quérir des informations sur son travail de la nuit. Bien avant d'arriver à sa maison, je pouvais entendre le détecteur de métaux : je dus crier à deux reprises pour lui faire lever le nez de la butte couverte de mûriers sur laquelle il promenait l'instrument. Il découvrit ses abo-minables dents dans un sourire de bienvenue. J'étais surpris de le voir si joyeux.

« Salut ! » Il posa le détecteur sur son épaule comme un fusil et zigzagua jusqu'à moi à travers les brous-sailles, toujours souriant. Je lui dis qu'il avait l'air d'un homme qui a eu de la chance.

« Pas encore », dit-il. Il avait été obligé de s'arrêter la nuit précédente parce que mes voisins l'avaient inter-pellé en se plaignant du bruit. Je ne comprenais pas. Leur maison est à deux cent cinquante mètres de l'endroit où il travaillait. Qu'avait-il donc fait pour les empêcher de dormir ?

« Ça n'est pas moi, dit-il, c'est lui », et il tapota le détecteur. « Partout où j'allais, il trouvait quelque chose : *tac-tac-tac-tac-tac*.

— Mais pas d'or », dis-je.

Rivière se pencha si près que, pendant un instant, je crus qu'il allait m'embrasser. Son nez frémit, sa voix baissa jusqu'à un chuchotement asthmatique. « Je sais où il est. » Il se recula et prit une profonde inspiration. « Ben oui. Je sais où il est nom *dé Diou* ! »

Nous avions beau être dans la forêt, sans âme qui vive à moins d'un kilomètre, Rivière craignait qu'on ne surprît notre conversation : sa peur était contagieuse et je me pris à chuchoter à mon tour.

« Où est-il ?

– Au bout de la piscine.

– Sous les roses ?

– Sous le dallage.

– Sous le dallage ?

– *Certaing* ! Sur la tête de ma grand-mère. »

Ce n'était pas la vraie bonne nouvelle que manifestement s'imaginait Rivière. Le dallage entourant la piscine était fait de pierres qui avaient près de huit centimètres d'épaisseur. On les avait posées sur un lit de béton armé aussi épais qu'elles. Pour arriver à la terre, ce serait un vrai travail de démolition. Rivière devina mes pensées et reposa le détecteur de métal de façon à pouvoir parler avec les deux mains.

« À Cavaillon, m'expliqua-t-il, on peut louer un marteau-piqueur. Ça traversera n'importe quoi. *Paf !* »

Il avait parfaitement raison. Un marteau pneumatique miniature passerait en un instant à travers les dalles, le béton armé, les canalisations alimentant la piscine et les câbles électriques actionnant la pompe à fuel. *Paf !* Et peut-être *boum !* Et, quand la poussière serait retombée, nous pourrions fort bien ne rien trouver de plus qu'une autre lame de faucille à ajouter à notre collection. Je dis non. Avec infiniment de regret, mais non.

Rivière accepta la décision et fut ravi de la bouteille de pastis que je lui offris pour sa peine. Mais je le vois de temps en temps, planté sur l'allée derrière la maison, contemplant la piscine en tirant sur sa moustache d'un air songeur; Dieu sait ce qu'il pourrait faire un soir d'ivresse si jamais quelqu'un lui offrait un marteau-piqueur pour Noël.

5

Les invalides

J'étais allé dans une pharmacie d'Apt pour acheter de la pâte dentifrice et de l'huile solaire, des emplettes innocentes et hygiéniques. Quand j'arrivai à la maison et que je les sortis du sac, je découvris que la préparatrice qui m'avait servi avait ajouté un cadeau instructif et quelque peu déconcertant. C'était une brochure somptueusement imprimée en couleurs. Sur la couverture, l'image d'un escargot assis sur les toilettes. Il avait l'air affligé comme s'il se trouvait là depuis quelque temps sans aboutir à rien qui soit digne d'intérêt. Ses cornes s'affaissaient. Il avait le regard terne. Au-dessus de ce triste tableau, on pouvait lire : *La constipation.*

Qu'avais-je fait pour mériter cela ? Avais-je l'air constipé ? Ou bien le fait d'avoir acheté de la pâte dentifrice et de l'huile solaire avait-il une quelconque signification pour l'œil expert d'une pharmacienne : une allusion au fait que tout n'allait pas pour le mieux dans mon système digestif ? Peut-être la jeune fille connaissait-elle quelque chose que j'ignorais. Je me mis à lire la brochure.

« Rien, déclarait-elle, n'est plus banal ni plus fréquent que la constipation. » Environ 20 pour 100 de la population française, affirmait l'auteur, souffraient des horreurs du ballonnement et de la « gêne abdominale ». Et pourtant, un observateur insouciant, comme moi, ne remarquait aucun signe évident d'inconfort chez les gens qu'il rencontrait dans la rue, dans les bars et les cafés, ou même dans les restaurants – où sans doute 20 pour 100 de la clientèle ingurgitant deux repas substantiels par jour s'acharnaient à le faire malgré leurs ballonnements. Quel admirable courage devant l'adversité !

J'avais toujours considéré la Provence comme un des endroits les plus sains du monde. L'air est pur, le climat sec. Fruits et légumes frais s'y trouvent en abondance. On cuisine à l'huile d'olive. Les gens n'ont pas l'air stressés : on aurait du mal à trouver un ensemble de conditions aussi salubres. D'ailleurs tout le monde a l'air en forme. Mais, si 20 pour 100 de ces visages hauts en couleur et de ces solides appétits dissimulaient des souffrances provoquées par un encombrement du transit intestinal, que pourraient-ils cacher d'autre ? Je décidai de prêter une plus grande attention aux doléances et aux remèdes provençaux, et ne tardai pas à m'apercevoir qu'il y a bel et bien une affliction locale qui, je le pense, touche le pays tout entier : c'est l'hypocondrie.

Un Français ne se sent jamais mal fichu. Il a une *crise*. La plus populaire est la crise de foie, quand cet organe finit par se révolter contre les mauvais traitements que lui infligent le pastis, des repas de cinq plats, les gouttes de marc et le vin d'honneur que l'on sert à toute occasion, depuis l'inauguration d'une exposition automobile jusqu'à la réunion annuelle de la cellule du village du Parti communiste. Le traitement est simple : pas d'alcool et de l'eau minérale en abondance. Mais il existe une solution bien plus satisfaisante – car elle conforte l'idée d'une maladie plutôt que de reconnaître le sybaritisme – : c'est un voyage à la pharmacie et une consultation prodiguée par la sympathique dame en blouse blanche derrière le comptoir.

Je me demandais pourquoi la plupart des pharma-

ciens ont des fauteuils disposés entre les bandages her-
niaires et les trousses de traitement contre la cellulite.
Aujourd'hui, je le sais. C'est pour qu'on puisse attendre
plus confortablement tandis que M. Machin explique en
chuchotant, avec force détails, comment il en est arrivé à
ce douloureux état : cela, tout en massant avec application
la gorge congestionnée, le rein douloureux, l'intestin
paresseux ou quelque autre partie de son corps qui lui fait
mal. Le pharmacien, habitué à être patient et à établir un
diagnostic, écoute attentivement, pose quelques questions,
hoche la tête et propose ensuite un certain nombre de solutions possibles. On exhibe des sachets de poudre, des pots
de crème et des ampoules. Nouvelle discussion. On par-
vient enfin à un choix et M. Machin replie soigneusement
les indispensables feuilles de papier qui lui permettront de
réclamer l'essentiel du coût de son traitement à la Sécurité
sociale. Quinze ou vingt minutes se sont écoulées : chacun
avance d'un siège.

Ces pèlerinages à la pharmacie ne sont le lot que des
égrotants les plus valides. Pour les affections graves ou
supposées graves, il existe, même dans les régions rurales
relativement à l'écart comme celle où nous vivons, un
réseau de spécialistes des premiers secours qui fait la stupéfaction des visiteurs des villes où il faut être milliardaire
avant de pouvoir être malade dans un certain confort.
Tous les bourgs et nombre de villages ont leur service
d'ambulance disponible vingt-quatre heures sur vingt-
quatre. Des infirmières diplômées viennent à domicile.
Des médecins se rendent chez le patient : pratique qui, à
ce qu'on m'a dit, est presque tombée en désuétude à
Londres.

Au début de l'été dernier, nous eûmes une expérience
brève mais intense du système médical français. Le cobaye
était Benson, un jeune visiteur américain qui faisait son
premier voyage en Europe. Quand j'allai le chercher en

gare d'Avignon, il me dit bonjour d'une voix étranglée, fut pris d'une quinte de toux et porta un mouchoir à sa bouche. Je lui demandai ce qui se passait.

Il désigna sa gorge en émettant des sifflements d'asthmatique.

« Mono », dit-il.

Mono ? Je n'avais aucune idée de ce que c'était. Mais je savais que les Américains souffrent d'affections bien plus sophistiquées que nous : des hématomes au lieu de contusions, des migraines au lieu de maux de tête, des écoulements rhino-pharyngés. Je marmonnai donc que l'air pur aurait tôt fait de l'en débarrasser et je l'aidai à monter dans la voiture. Sur le trajet du retour, j'appris que « mono » était le diminutif familier de la mononucléose, une infection virale. Un des symptômes est la gorge endolorie. « J'ai l'impression d'avaler du verre pilé », expliqua Benson, pelotonné derrière ses lunettes de soleil et son mouchoir. « Il va falloir appeler mon frère à Brooklyn. Il est médecin. »

Nous arrivâmes à la maison pour découvrir que le téléphone était en dérangement. C'était le début d'un long week-end estival et nous serions sans doute trois jours sans téléphone, ce qui normalement est une bénédiction. Mais il fallait appeler Brooklyn. Il existait un certain antibiotique, extrêmement sophistiqué, dont Benson affirmait qu'il aurait raison de toutes les formes connues de « mono ». Je descendis donc jusqu'à la cabine téléphonique des Baumettes et je commençai à l'alimenter en pièces de cinq francs pendant que l'hôpital de Brooklyn recherchait le frère de Benson. Celui-ci me donna le nom du médicament miracle. J'appelai un médecin en lui demandant s'il pourrait venir à la maison.

Il arriva dans l'heure et examina le malade qui reposait derrière ses lunettes de soleil au fond d'une chambre plongée dans l'obscurité.

« Alors, monsieur... », commença le médecin. Mais Benson l'interrompit tout net.

« Mono, dit-il en désignant sa gorge.

– Comment ?

– Mono, docteur. Mononucléose.

– Ah ! mononucléose. Peut-être, peut-être. »

Le médecin examina la gorge irritée de Benson et fit un prélèvement. Il voulait faire analyser le virus en laboratoire. Et maintenant, si Monsieur voulait bien baisser son pantalon ? Il exhiba une seringue que Benson scruta d'un regard méfiant par-dessus son épaule tout en amenant lentement à mi-cuisse son jean de chez Calvin Klein.

« Dites-lui que je suis allergique à la plupart des antibiotiques. Il devrait appeler mon frère à Brooklyn.

– Comment ? »

J'expliquai le problème. Est-ce que par hasard le médecin aurait dans sa trousse le médicament miracle ? Non. Nous nous regardâmes par-dessus les fesses de Benson. Une douloureuse quinte de toux les agita. Le médecin expliqua qu'il fallait administrer un remède pour réduire l'inflammation et que les effets secondaires de cette injection-ci étaient extrêmement rares. Je transmis l'information à Benson.

« Eh bien... O.K. » Il se pencha et le médecin lui fit une injection d'un geste large, comme un matador plonge son épée entre les cornes. « Voilà ! » Benson attendait le choc des réactions allergiques : pendant ce temps le médecin m'expliqua qu'il allait s'arranger pour qu'une infirmière vienne deux fois par jour lui administrer les nouvelles piqûres dès qu'il aurait les résultats de l'analyse pour samedi. Aussitôt, il prescrirait les médicaments nécessaires. Il nous souhaita une bonne soirée. Benson fit bruyamment chorus derrière son mouchoir. *Une bonne soirée* me paraissait peu probable.

L'infirmière arriva et repartit. On reçut les résultats

de l'analyse et, comme promis, le docteur réapparut le samedi soir. Le jeune monsieur ne s'était pas trompé. C'était bien une mononucléose, mais nous allions la vaincre en utilisant les ressources de la médecine française. Le docteur se mit à griffonner comme un poète dans le feu de l'inspiration. Une prescription après l'autre coulait de sa plume : on allait faire appel à toutes les ressources disponibles. Il me tendit une liasse de hiéroglyphes et nous souhaita un bon week-end. Cela aussi était peu probable.

Le dimanche d'un long week-end au cœur de la France rurale n'est pas le meilleur moment pour trouver une pharmacie ouverte. La seule à des kilomètres à la ronde était la pharmacie de garde dans la banlieue de Cavaillon. À huit heures et demie j'étais là-bas. Je retrouvai un homme serrant dans sa main une liasse d'ordonnances presque aussi épaisse que la mienne. Nous déchiffrâmes ensemble l'avis collé à la porte vitrée : la pharmacie n'ouvrait qu'à dix heures.

L'homme soupira et me toisa de la tête aux pieds.

« Vous êtes là pour une urgence ? »

Non. C'était pour un ami.

Il hocha la tête. Lui-même souffrait d'une grave arthrose de l'épaule et il avait aussi des champignons aux pieds. Il n'allait pas rester planté là pendant une heure et demie assis au soleil à attendre l'ouverture de la pharmacie. Il s'assit sur le trottoir près de la porte et se mit à lire le premier chapitre de ses ordonnances. Je décidai d'aller prendre un petit déjeuner.

« Revenez bien avant dix heures, me conseilla-t-il. Il y aura beaucoup de monde aujourd'hui. »

Comment le savait-il ? Une visite matinale le dimanche à la pharmacie était-elle une distraction habituelle d'avant déjeuner ? Je le remerciai et, sans me soucier de son conseil, j'allai tuer le temps dans un café avec un vieux numéro du *Provençal*.

Quand je m'en retournai à la pharmacie, juste avant dix heures, on aurait dit que tout Cavaillon s'était rassemblé sur le trottoir. Il y avait des douzaines de gens qui attendaient avec leurs volumineuses ordonnances, échangeant des histoires de symptômes comme un pêcheur à la ligne décrit une belle prise. Monsieur Angine se vantait de sa gorge endolorie. Madame Varice ripostait avec une histoire de ses veines variqueuses. Estropiés et mutilés bavardaient gaiement tout en consultant leurs montres et en se pressant de plus en plus près de la porte toujours fermée. Dans un accompagnement de « Enfin » et de « Elle arrive » murmurés le long de la file, une jeune fille finit par apparaître du fond de la pharmacie : elle ouvrit la porte et s'écarta prestement pour laisser s'engouffrer la ruée. J'observai – ce n'était pas la première fois – que la coutume anglaise des files d'attente bien ordonnées n'a pas place dans la vie française.

Je devais bien être là depuis une demi-heure quand, à la faveur d'une brèche dans la mêlée, je parvins à remettre mes documents à la pharmacienne. Elle prit un sac à provisions en plastique et entreprit de le bourrer de boîtes et de flacons, tamponnant chaque ordonnance à mesure qu'elle progressait dans la pile. Le sac était plein à éclater : il restait une prescription à remplir. Après une disparition qui se prolongea cinq minutes, la pharmacienne dut s'avouer vaincue : elle n'avait plus en stock Dieu sait quel produit et il faudrait que j'aille me le procurer dans une autre officine. Ce n'était pas grave : les médicaments importants étaient tous là, dans le sac. De quoi, me semblait-il, ramener d'entre les morts tout un régiment.

De pastilles en gargarismes et en inhalations, Benson épuisa tout le menu prescrit. Le lendemain matin, il avait émergé de l'ombre du tombeau et se sentait suffi-

samment rétabli pour nous accompagner dans un voyage
jusqu'à la pharmacie de Ménerbes en quête du dernier
médicament. Un des anciens du village se trouvait là
quand nous arrivâmes : il attendait, juché sur un tabouret, tandis qu'on emplissait d'orviétans son sac à provisions. Curieux de savoir quelle maladie exotique pouvait
frapper les étrangers, il resta assis pendant qu'on allait
chercher notre médicament, se penchant même pour voir
ce qu'il y avait dans le paquet quand on le déposa sur
le comptoir. La pharmacienne ouvrit la boîte et en tira
un objet enveloppé dans du papier aluminium, gros
comme une tablette d'Alka-Seltzer un peu déformée.
Elle le tendit à Benson.

« Deux fois par jour », précisa-t-elle.

Benson secoua la tête et porta la main à sa gorge.

« C'est trop gros, dit-il. Je n'arriverai jamais à avaler quelque chose de cette taille. »

Nous traduisîmes pour la pharmacienne : elle n'avait
pas eu le temps de répondre que le vieil homme s'effon-
drait de rire, se balançant dangereusement sur son
tabouret tout en s'essuyant les yeux du revers d'une
main noueuse.

La pharmacienne sourit et esquissa un délicat geste
ascensionnel avec le produit enveloppé de papier
d'argent : « C'est un suppositoire. » Benson avait l'air
abasourdi. Le vieil homme, riant toujours, sauta à bas
de son tabouret et prit le suppositoire des mains de la
pharmacienne.

« Regardez, dit-il à Benson. On fait comme ça. »

Il s'écarta du comptoir pour se donner de l'espace, il
se pencha en avant en brandissant le médicament au-
dessus de sa tête puis, d'un grand geste en arrière de
son bras, vint appliquer fermement le médicament
contre le fond de son pantalon. « *Toc!* » dit le vieil
homme. Il leva les yeux vers Benson :

« Vous voyez ?

– Dans le *derrière* ? » fit Benson en secouant la tête. « Que c'est bizarre. Seigneur ! » Il remit ses lunettes de soleil et recula de deux pas. « Dans mon pays, on ne fait pas ces choses-là. »

Nous tentâmes de lui expliquer que c'était une méthode très efficace pour introduire des médicaments dans le sang : il n'était pas convaincu. Quand nous ajoutâmes que ça ne lui ferait pas mal à la gorge non plus, il ne trouva pas cela drôle. Je me demande souvent ce qu'il a bien pu raconter à son frère, le médecin de Brooklyn.

Peu après, je rencontrai Rivière dans la forêt et je lui racontai l'histoire du suppositoire. C'était amusant, affirma-t-il. Mais, si l'on voulait un épisode vraiment dramatique, rien ne valait l'histoire de cet homme qui était entré à l'hôpital pour se faire opérer de l'appendicite et qui s'était réveillé amputé de la jambe gauche. Eh oui.

Je lui dis que ça ne pouvait pas être vrai : Rivière affirma que si.

« Si jamais je suis malade, dit-il, je vais chez le vétérinaire. Avec eux, on sait où on en est. Je ne me fie pas aux docteurs. »

Heureusement, l'opinion de Rivière sur la profession médicale française ne reflète sans doute pas plus la réalité que la plupart de ses idées. Peut-être se trouve-t-il en Provence des docteurs qui ont le goût de l'amputation : nous n'en avons jamais rencontré. En fait, à part notre contact fugitif avec la mononucléose, nous n'avons vu le médecin qu'une fois, et c'était pour lutter contre une crise de bureaucratie.

C'était le point culminant de plusieurs mois passés à échanger des paperasseries afin d'obtenir nos cartes de séjour : les cartes d'identité qu'on délivre aux résidents étrangers en France. Nous étions allés à la mairie, à la préfecture, à l'hôtel des impôts et retour à la mairie. Partout où nous allions, on nous disait qu'il fallait un autre formulaire : et, naturellement, on ne pouvait l'obtenir que dans une autre administration. Au bout du compte, quand nous fûmes convaincus d'avoir entre nos mains un jeu entier de certificats, d'attestations, de déclarations, de photographies et d'éléments biographiques complets, nous effectuâmes ce qui devait être à notre avis notre dernière visite triomphale à la mairie.

On examina attentivement les dossiers. Tout semblait être en ordre. Nous n'allions pas être une charge pour l'État français. Nous avions un casier judiciaire vierge. Nous ne cherchions pas à voler leur emploi à des travailleurs français. Bon. Rien ne manquait aux dossiers. Nous allions enfin avoir une existence officielle.

La secrétaire de mairie nous gratifia d'un grand sourire et nous tendit deux autres formulaires. Nous devions, expliqua-t-elle, passer une visite médicale pour prouver que nous étions sains de corps et d'esprit. Le docteur Fénelon, à Bonnieux, se ferait un plaisir de nous examiner. Nous voilà donc partis pour Bonnieux.

Le docteur Fénelon était charmant et mena rondement son affaire : il nous radiographia et nous fit subir un interrogatoire détaillé. Étions-nous fous ? Non. Épileptiques ? Non. Drogués ? Alcooliques ? Enclins aux évanouissements ? Je m'attendais un peu à ce qu'on m'interrogeât sur mon transit intestinal au cas où nous risquerions de venir grossir les rangs des constipés de la population française : mais cela ne semblait pas intéresser les services d'immigration. Nous signâmes les formulaires. Le docteur Fénelon les contresigna. Puis il ouvrit un tiroir et y prit deux autres imprimés.

Il se confondit en excuses. « Bien sûr, vous n'avez pas ce problème, mais... » Haussant les épaules, il nous expliqua qu'il nous fallait emporter les formulaires à Cavaillon et subir une analyse de sang avant qu'il puisse nous délivrer nos certificats sanitaires.

Cette analyse visait-elle une maladie précise?

« Ah! oui. » Il semblait encore plus gêné. « La syphilis. »

6

L'écrevisse anglaise

« Écrire est une vie de chien, mais c'est la seule qui vaille d'être vécue. » C'était l'opinion de Flaubert : voilà qui exprime fort justement ce que l'on peut ressentir si l'on choisit de passer ses jours ouvrables à coucher des mots sur des bouts de papier.

La plupart du temps, c'est une occupation monotone et solitaire. Il y a par-ci par-là la récompense d'une phrase bien tournée – ou plutôt de ce qu'on pense être une phrase bien tournée, puisqu'il n'y a personne d'autre pour vous le dire. Il y a de longs tunnels improductifs où l'on songe à prendre un travail régulier et utile, par exemple expert-comptable. On doute constamment de ce que l'on écrit. On s'affole en pensant aux dates limites imposées par l'éditeur. On est effondré de se rendre compte que le reste du monde ne s'en soucie guère. Quatre pages par jour ou rien. Cela n'intéresse que vous. Cet aspect-là de l'écriture est, à n'en pas douter, une vie de chien.

L'heureuse surprise de découvrir, un jour, que l'on est parvenu à faire passer quelques heures distrayantes à des hommes et des femmes inconnus rend l'expérience valable. Et si certains d'entre eux vous écrivent pour vous le dire, le plaisir de recevoir leurs lettres vaut les applaudissements qui déferlent sur Pavarotti au dernier acte de *La Bohème*. Cela compense tout votre labeur. On renonce à l'idée de faire carrière dans la comptabilité et on commence à rêver au plan d'un nouveau livre.

Je reçus ma première lettre peu après la publication d'*Une Année en Provence*. Elle venait du Luxembourg. Elle était courtoise et flatteuse : je la relisais toute la journée. La semaine suivante, un homme m'écrivit pour me demander comment faire pousser des truffes en Nouvelle-Zélande. Puis les lettres commencèrent à arriver à petits flots réguliers : de Londres, de Bei-ping, du Queensland, de la prison de Sa Majesté à Wormwood Scrubs, de la Communauté des Expatriés de la Côte d'Azur, des régions sauvages du Wiltshire et des collines du Surrey. Les unes sur papier à lettres gravé, envoyées par de vrais aristos au sang bleu, d'autres sur des pages de cahier. L'une même au verso d'un plan du métro de Londres. L'adresse était souvent si vague que les services de la poste devaient accomplir de petites merveilles de déduction : « *Les Anglais*, Bonnieux » nous arriva en dépit du fait que nous n'habitons pas Bonnieux. Tout comme ma préférée : « *L'écrevisse anglaise*, Ménerbes, Provence ». Ces missives étaient amicales et encourageantes. Chaque fois qu'il y avait une adresse d'expéditeur, je répondais, en pensant que les choses s'arrêteraient là. Mais souvent, ce n'était pas le cas. Nous ne tardâmes pas à nous trouver dans la situation peu enviable de conseillers résidents sur tous les aspects de la vie provençale, depuis l'achat d'une maison jusqu'à l'engagement d'une baby-sitter. Une femme téléphona de Memphis, au fin fond du Tennessee, pour se renseigner sur le taux des cambriolages dans le Vaucluse. Un photographe d'Essex voulait savoir s'il pouvait gagner sa vie en faisant des photos dans le Luberon. Des couples envisageant de venir s'installer en Provence nous adressaient des questionnaires de plusieurs pages. Leurs enfants s'adapteraient-ils aux écoles locales ? Quel était le coût de la vie ? Et les médecins ? Et les impôts ? N'étions-nous pas trop isolés ? Allaient-ils se plaire ? Nous répondions de notre mieux, mais c'était un peu gênant d'être impliqués dans les décisions personnelles de parfaits étrangers.

Et puis, comme l'été s'installait, ce qui nous parvenait par la boîte aux lettres commença à arriver par l'allée. Plus de lettres : des auteurs de lettres en panne de stylo mais lestés d'appareils photographiques équipés de zooms sophistiqués.

Il faisait chaud et sec. J'effectuais un peu de désherbage provençal à coups de pioche dans le sol dur comme la pierre quand une voiture arriva. Le conducteur en descendit avec un large sourire en brandissant vers moi un exemplaire de mon livre.

« J'ai fini par vous trouver ! s'exclama-t-il. Une petite enquête au village. Ça ne m'a pas donné trop de mal. » Je signai le livre avec le sentiment d'être un véritable auteur. Quand ma femme revint de Cavaillon, elle fut très impressionnée. « Un fan, me dit-elle. Tu aurais dû prendre une photo. C'est extraordinaire que quelqu'un se donne tout ce mal. »

Elle fut moins impressionnée quelques jours plus tard : nous quittions la maison pour sortir dîner quand nous tombâmes sur une jolie blonde qui rôdait derrière le cyprès dans le jardin.

« C'est bien lui ? interrogea la blonde.

— Oui, répondit ma femme. Quel dommage, justement nous sortons. » Les blondes ont sans doute l'habitude de voir les épouses réagir de cette façon. Elle partit.

« C'était peut-être une fan, dis-je à ma femme.

— Elle peut aller jouer les fans ailleurs, dit-elle. Tu n'as pas besoin de minauder comme ça. »

Durant juillet et août, nous prîmes l'habitude de trouver devant notre porte des visages inconnus. Pour la plupart, des gens bien élevés qui se confondaient en excuses :

ils voulaient simplement faire dédicacer leur livre, ils
acceptaient avec reconnaissance un verre de vin et quelques minutes à passer assis dans la cour à l'abri du soleil.
Tous semblaient fascinés par la table de pierre que nous
avions enfin réussi à installer au prix de grandes difficultés. « C'est donc ça *la table* », disaient-ils en passant
leurs doigts sur le plateau comme s'il s'agissait d'une des
œuvres maîtresses de Henry Moore. Cela nous procurait
une impression très étrange que de nous voir inspectés
avec autant d'intérêt, ainsi que nos chiens (qui adoraient
ça) et notre maison. Mais, sans doute était-ce inévitable, il
y avait des moments où ce n'était pas une sensation
curieuse mais irritante, où la visite ressemblait davantage
à une invasion.

Un après-midi où la température frisait les trente-huit
degrés, le mari, la femme et une amie de la femme, le nez
et les genoux colorés du même rouge vif par un coup de
soleil, étaient venus se garer au bout de l'allée et étaient
montés jusqu'à la maison, sans que nous les ayons remar-
qués. Les chiens dormaient et ne les avaient pas entendus.
Quand j'entrai dans la maison pour prendre une bière, je
les découvris dans le salon bavardant tranquillement tout
en inspectant les livres et le mobilier. Je fus très surpris.
Pas eux.

« Ah! dit le mari, vous voilà. Nous avons lu le petit
article dans le *Sunday Times*, alors on a décidé de passer
vous voir. » Et voilà. Pas d'excuses, pas un soupçon de
gêne, pas la moindre supposition que je pourrais ne pas
être ravi de les voir. Ils n'avaient même pas un exemplaire
du livre. Ils attendaient qu'on le trouve en poche, dirent-
ils : les livres sont si chers de nos jours. Il émanait d'eux
un déplorable mélange de familiarité et de condescen-
dance.

Il ne m'arrive pas souvent de trouver les gens anti-
pathiques au premier coup d'œil, mais ce fut le cas et je
les priai de partir.

Les plaques rouges qui couvraient le visage du mari devinrent encore plus rouges : il se gonfla comme une dinde blessée à qui on vient d'annoncer la mauvaise nouvelle à propos de Noël.

« Mais nous avons fait tout le trajet depuis Saint-Rémy. »

Je les invitai à le refaire en sens inverse et ils partirent en grommelant. « Voilà en tout cas un livre que nous n'achèterons pas. Tout ce que nous voulions, c'était regarder. On croirait que cette maison est le Palais de Buckingham. » Je les regardai descendre l'allée jusqu'à leur Volvo, les épaules raides d'indignation. Je songeai à acheter un Doberman.

Après cela, la vue d'une voiture ralentissant et s'arrêtant sur la route devant la maison était le signal de ce que nous ne tardâmes pas à appeler une « alerte aux raseurs ». « Passe une tenue décente, disait ma femme, je crois qu'ils remontent l'allée. Non : ils se sont arrêtés à la boîte aux lettres. » Un peu plus tard, quand je descendais chercher le courrier, il y avait un exemplaire du livre enveloppé dans un sac en plastique, prêt à être dédicacé, et qu'on avait laissé sous une pierre de la margelle du puits. Le lendemain, il avait disparu : repris, je l'espérais, par les gens prévenants qui l'avaient déposé là sans vouloir nous déranger.

À la fin de l'été, nous n'étions pas les seuls à avoir bénéficié de l'attention du public. Notre voisin Amédée s'était entendu demander de dédicacer un livre : cela n'avait pas manqué de l'étonner puisque, comme il le disait, il n'était pas un *écrivaing*. Quand je lui expliquai que des gens avaient lu des choses sur lui en Angleterre, il ôta sa casquette, se lissa les cheveux et dit : « Ah, *being* dites don*que* ! » à deux reprises, d'un ton assez satisfait.

Maurice, le chef, avait dû dédicacer pas mal de livres : jamais, disait-il, il n'avait eu autant de clients anglais dans son restaurant. Certains d'entre eux avaient été surpris de constater qu'il existait vraiment : ils croyaient que je l'avais inventé. D'autres étaient arrivés avec le livre sous le bras et avaient commandé, jusqu'au dernier verre de marc, un repas dont ils avaient lu le menu.

Puis il y avait le fameux plombier, M. Colombani, qui passe de temps en temps entre deux chantiers pour nous faire part de ses idées sur la politique, les champignons sauvages, les irrégularités climatiques, les perspectives de l'équipe française de rugby, le génie de Mozart et tous les passionnants développements du monde des installations sanitaires. Je lui avais donné un exemplaire du livre en lui montrant les passages où il figurait en vedette. Je lui expliquai que certains de nos visiteurs avaient exprimé le désir de le rencontrer.

Il ajusta son bonnet de laine et rajusta le col de sa vieille chemise à carreaux. « C'est vrai ?

– Oui, dis-je. Absolument vrai. » Son nom avait même été cité dans le *Sunday Times*. Peut-être devrais-je organiser pour lui une séance de signatures.

« Ah ! monsieur Peter, vous rigolez. » Mais je voyais bien que l'idée ne lui déplaisait pas. Il s'en retourna en tenant son livre aussi soigneusement que s'il transportait un fragile et coûteux bibelot.

La voix à l'autre bout du fil aurait aussi bien pu venir de Sydney : une voix joyeuse et un peu nasillarde.

« Bonjour, ici Wally Storer, de la *Librairie anglaise* de Cannes. Il y a plein d'Angliches ici et votre livre marche rudement bien. Si vous veniez signer quelques exemplaires un jour pendant le Festival du Film ? »

J'ai toujours nourri des doutes sur l'appétit littéraire des gens de cinéma. Un vieil ami qui travaille à Hollywood m'a avoué qu'il avait lu un livre en six ans et qu'on le considérait pratiquement comme un intellectuel. Si on mentionne le nom de Rimbaud, à Bel Air, on croit que vous parlez de Sylvester Stallone. Je ne comptais guère sur des ventes spectaculaires, pas plus que je ne craignais la crampe de l'écrivain. Malgré tout, je me dis que ce serait amusant. Peut-être que je verrais une vedette de cinéma, une fille sensationnelle en monokini sur la Croisette ou – spectacle infiniment rare là-bas – un serveur souriant à la terrasse du Carlton. Je répondis que je serais enchanté de venir.

Ce fut par une journée chaude et ensoleillée que je me glissai dans le flot des voitures qui se traînaient en ville : mauvais temps pour les librairies. De grands panneaux fixés aux lampadaires annonçaient que Cannes était jumelée à Beverly Hills : j'imaginais sans peine les maires trouvant sans cesse des excuses pour échanger des visites au nom de l'amitié municipale et de leur goût partagé pour les vacances gratuites.

Devant le Palais des Festivals, ce qui me parut être l'ensemble des forces de police de Cannes, avec revolvers, walkies-talkies et lunettes de soleil, s'affairaient à créer une série d'embouteillages tout en s'assurant qu'on ne kidnappait pas Clint Eastwood. Avec cette habileté que donnent des années de pratique, ils dirigeaient les voitures vers des nœuds inextricables, puis les abreuvaient de coups de sifflet furibonds, pour expédier les chauffeurs vers le nouvel encombrement avec des mouvements de tête frénétiques. Il me fallut dix minutes pour parcourir cinquante mètres. Quand j'arrivai enfin à l'immense parking souterrain, je vis qu'une précédente victime de ce chaos avait griffonné sur le mur : « C'est formidable de visiter Cannes mais je ne voudrais pas passer la journée ici. »

Je me rendis dans un café sur la Croisette pour prendre mon petit déjeuner et regarder les stars. Tout le monde en faisait autant. Jamais autant d'inconnus ne s'étaient mutuellement inspectés avec autant de soin.

Toutes les filles esquissaient des moues en essayant de prendre un air ennuyé. Tous les hommes avaient à la main la liste des films projetés ce jour-là et gribouillaient dans les marges des notes importantes. Un ou deux téléphones sans fil étaient nonchalamment placés bien en vue auprès de leurs croissants. Chacun arborait le badge en plastique de délégué et trimbalait l'obligatoire sac du Festival portant la mention *Le film français/Cannes 90*. Pas question du *film américain* ni du *film anglais*; mais c'est sans doute un des avantages d'être l'hôte dans ces occasions-là : on a le choix des sacs. La Croisette était ornée d'une forêt de panneaux proclamant les noms des acteurs, des metteurs en scène, des producteurs et, pourquoi pas, des coiffeurs. Ils étaient placés juste en face des grands hôtels : sans doute pour que le héros de chaque affiche pût voir son nom tous les matins de la fenêtre de sa chambre avant de prendre le traditionnel petit déjeuner cannois de jambon à l'ego. Il régnait une atmosphère fébrile de gros contrats et de gros sous. Les groupes de brasseurs d'affaires arpentaient la Croisette sans même voir le vieux mendiant assis sur le trottoir devant l'hôtel Majestic, avec une malheureuse pièce de vingt centimes dans son chapeau délabré qu'il tendait aux passants. Fortifié par ma dose de célébrité, je laissai les magnats à leurs tractations et pris l'étroite rue Bivouac-Napoléon pour me diriger vers la *Librairie anglaise*. Je me préparais à l'étrange expérience qui consiste à s'asseoir dans une vitrine en espérant que quelqu'un – n'importe qui – allait me demander de lui dédicacer un livre. J'avais fait une ou deux séances de signature auparavant : des épisodes décourageants où des gens qui n'étaient même pas disposés à s'aventurer à portée de voix me dévisageaient de loin. Peut-être croyaient-ils que je mordais. Ils ne savaient rien du soulagement qu'éprouvent les auteurs quand une âme courageuse s'approche de la table. Après être resté assis tout seul quelques minutes, on est prêt à se raccrocher à n'importe quoi, à signer tout ce qu'on veut depuis des livres et des photographies jusqu'à de vieux numéros de *Nice Matin,* voire des chèques.

Heureusement, Wally Storer et sa femme avaient prévu le trac de l'auteur et avaient bourré le magasin d'amis et de clients. À quel subterfuge avaient-ils eu recours pour les arracher à la plage, je n'en savais rien, mais je leur étais reconnaissant de me tenir occupé : je commençais même à regretter de ne pas avoir amené M. Colombani. Il aurait bien mieux que moi expliqué pourquoi les tuyaux d'écoulement en France se conduisent... comme ils le font : c'était, je l'avais constaté, un sujet de curiosité partagé par tous les expatriés anglais. N'est-ce pas étrange, disait-il, que les Français soient si forts pour la technologie sophistiquée comme les trains à grande vitesse, les téléphones électroniques et le Concorde, et que pourtant, dans leurs salles de bains, ils retournent au XVIIIᵉ siècle. L'autre jour encore, une dame d'un certain âge m'annonça que, quand elle avait tiré la chasse d'eau, les restes d'une salade niçoise avaient fait surface dans la cuvette. Jamais ce genre de chose n'arriverait à Cheltenham.

La séance de signature parvint à son terme et nous allâmes au bar du coin. Américains et Anglais étaient plus nombreux que les indigènes : mais les indigènes à Cannes sont rares et clairsemés. Même une partie de la police, m'avait-on dit, est importée de Corse.

Les Corses en question patrouillaient encore sur la Croisette quand je partis : ils jouaient avec la circulation et lorgnaient les filles plus ou moins dénudées qui passaient. Le vieux mendiant campait toujours devant le Majestic, sa pièce de vingt centimes toujours aussi esseulée. Je déposai quelques pièces dans son chapeau et, en anglais, il me souhaita une bonne journée. Je me demandai s'il s'entraînait pour Beverly Hills.

7

Passer cinquante ans sans excès de vitesse

Je n'ai jamais attaché beaucoup d'importance à mes anniversaires, pas même à ceux qui marquaient le passage d'une décennie. Je travaillais le jour où j'ai eu trente ans. Je travaillais le jour de mes quarante ans et j'étais tout à fait heureux à l'idée de travailler pour mon cinquantième anniversaire. Mais Madame mon épouse avait d'autres idées en tête.

« Tu vas avoir un demi-siècle, dit-elle. Compte tenu de la quantité de vin que tu bois, c'est une sorte d'exploit. Nous devrions fêter cela. »

Impossible de parlementer avec elle quand elle a le menton levé sous un certain angle : nous cherchâmes donc comment et où se passerait l'événement. J'aurais pu m'en douter, ma femme avait déjà tout arrangé ; elle écoutait mes suggestions par pure politesse : une excursion à Aix, un *déjeuner flottant* dans la piscine, une journée au bord de la mer à Cassis. Comme j'arrivais à court d'inspiration, elle intervint. « Un pique-nique dans le Luberon, déclara-t-elle, avec quelques amis proches. Voilà la façon de fêter un anniversaire en Provence. » Elle me fit un tableau lyrique d'une prairie tachetée de soleil en pleine forêt. Je n'aurais même pas besoin de mettre un pantalon long. J'allais adorer cela.

Je ne pouvais pas *m'imaginer* adorant un pique-

nique. Mes expériences dans ce domaine, même si elles
s'étaient limitées à l'Angleterre, m'avaient laissé le souvenir d'une humidité pénétrante remontant le long de
l'épine dorsale en partant d'un sol constamment mouillé ;
de fourmis me disputant des aliments ; d'un vin blanc
tiède ; d'une course effrénée vers un abri quand le nuage
inévitable arrivait pour crever au-dessus de nos têtes.
J'avais horreur des pique-niques. Et je le dis sans guère y
mettre de formes.

Celui-ci, déclara ma femme, serait exceptionnel. Elle
avait tout préparé. En fait, elle avait longuement consulté
Maurice et ce qu'elle avait en tête serait non seulement
civilisé, mais hautement pittoresque : l'occasion de rivali-
ser avec Glyndebourns par un jour ensoleillé (ce qui ne
s'est pas produit depuis l'année du couronnement de la
reine Victoria).

Maurice, le chef et le patron de la *Loube* à Buoux et
grand amateur de chevaux, avait au long des années sélec-
tionné et restauré deux ou trois calèches du XIXe siècle et
une limousine tirée par des chevaux, une authentique diligence. Il offrait maintenant à ses clients les plus aventu-
reux la possibilité de partir au trot pour déjeuner. J'allais
adorer ça.

Je sais reconnaître l'inéluctable quand j'y suis
confronté. L'affaire était réglée. Nous invitâmes huit amis,
en croisant les doigts, moins fort cependant que nous ne
l'aurions fait en Angleterre, pour avoir du beau temps. Il
n'avait plu qu'une fois depuis le début d'avril, deux mois
auparavant : mais juin en Provence est imprévisible.

Quand je m'éveillai et sortis dans la cour, le ciel de
sept heures était d'un bleu sans tache, couleur d'un paquet
de Gauloises. Les dalles étaient tièdes sous mes pieds nus :
nos pensionnaires lézards s'étaient déjà installés pour leur
bain de soleil, aplatis et immobiles contre le mur de la
maison. Rien que se lever par un matin pareil, c'était un
cadeau d'anniversaire.

Le début d'une chaude journée d'été dans le Luberon, quand on est assis sur la terrasse avec un bol de café au lait, les abeilles bruissant dans la lavande, la forêt sous la lumière passant au vert sombre, c'est encore mieux que de s'éveiller tout d'un coup millionnaire. La chaleur me donne une sensation de bien-être physique et d'optimisme. Je n'avais pas l'impression d'avoir dépassé d'un jour mes quarante-neuf ans : je regardai dix doigts de pied bien bronzés en espérant qu'il en serait exactement de même pour mon soixantième anniversaire.

Un peu plus tard, la douce chaleur tournait à la fournaise quand le bourdonnement des abeilles s'effaça devant le vacarme d'un moteur Diesel : je vis une vénérable Land Rover décapotable qui disparaissait sous un camouflage vert remonter l'allée en haletant avant de s'arrêter dans un nuage de poussière. C'était Bennett, qui avait l'air de l'éclaireur d'un groupe de la patrouille du Désert : short et chemise de coupe militaire, lunettes de soleil de tankiste, son véhicule festonné de jerricans et de sacoches diverses, le visage hâlé par le soleil. Seule la coiffure, une casquette de base-ball de chez Louis Vuitton, aurait été déplacée à El Alamein. Il avait franchi les lignes ennemies par la Nationale 100, avait triomphalement pris Ménerbes et était prêt maintenant pour l'assaut final vers les montagnes.

« Mon Dieu, dit-il, quel coup de vieux tu as pris. Tu permets que je passe un petit coup de fil ? J'ai laissé mon maillot de bain chez des amis où je me suis arrêté la nuit dernière. Un maillot kaki, comme les caleçons du général Noriega. Très inhabituel. Je serais navré de le perdre. »

Laissant Bennett au téléphone, nous rassemblâmes les deux amis qui séjournaient chez nous ainsi que les trois chiens et nous les casâmes dans la voiture pour aller jusqu'à Buoux, où nous devions retrouver les autres. Bennett sortit de la maison, ajusta la visière de sa casquette

pour se protéger du soleil et nous partîmes en convoi, la
Land Rover et son conducteur attirant l'intérêt des paysans dont le torse émergeait des vignobles de chaque côté
de la route.

Après Bonnieux, le paysage devenait plus sauvage et
plus rude. Les vignes cédaient la place aux rochers, aux
chênes-lièges et aux champs de lavande. Plus de voitures
ni de maisons. On se serait cru à cent kilomètres des villages chics du Luberon : j'étais ravi de penser qu'il existait
encore une campagne aussi sauvage, aussi déserte. Ce ne
serait pas demain que s'installerait ici une boutique
Souleiado ou les bureaux d'un agent immobilier.

Nous nous engageâmes dans la vallée encaissée.
Buoux sommeillait. Le chien qui vit sur le tas de bois juste
devant la mairie ouvrit un œil et aboya sans conviction.
Surpris par une telle circulation, un enfant qui tenait un
petit chat dans ses bras leva les yeux : deux petites sou-
coupes blanches dans un visage rond et brun.

Devant l'auberge, on aurait dit une séance de casting
pour un film dont on n'avait pas encore tout à fait fixé
l'intrigue ni les personnages, la garde-robe ni l'époque. Il
y avait un costume blanc et un panama à larges bords. Des
shorts et des espadrilles. Une robe de soie. Une tenue de
péon mexicain. Des écharpes et des châles de couleurs
vives. Des chapeaux des âges les plus divers. Un bébé à la
tenue immaculée et, sautant à bas de sa Land Rover pour
passer en revue l'équipement, notre homme du désert.

Maurice sortit du paddock où broutaient les chevaux,
tout souriant de nous voir par ce temps magnifique. Il
avait revêtu son plus beau costume de dimanche provençal : chemise et pantalon blancs, un lacet noir en guise de
cravate, gilet rouge prune et vieux canotier. Son ami, qui
devait conduire le second attelage, avait lui aussi une
tenue blanche dont de larges bretelles cramoisies et une
magnifique moustache poivre et sel rehaussaient encore
l'éclat : Yves Montand dans *Jean de Florette*.

« Venez! s'écria Maurice. Venez voir les chevaux. » Il nous entraîna dans le jardin en s'enquérant de notre appétit. L'avant-garde venait de partir dans un fourgon pour dresser le pique-nique, emportant à bord un véritable festin, de quoi nourrir toute la population de Buoux.

Les chevaux étaient attachés à l'ombre, la robe étincelante, la crinière et la queue soigneusement peignées. L'un d'eux poussa un hennissement et vint flairer le gilet de Maurice, cherchant un morceau de sucre. Le plus jeune invité, juché sur les épaules de son père, gazouillait à la vue d'un tel monstre et se pencha pour tâter d'un doigt rose et hésitant son flanc d'un étincelant alezan. Le cheval crut que c'était une mouche et agita sa longue queue.

Nous regardâmes Maurice et « Yves Montand » atteler les chevaux à la calèche découverte, noire avec un filet rouge. Ils firent de même pour la diligence à sept places, rouge avec un filet noir. Toutes deux avaient été huilées, cirées et astiquées comme si on allait les mettre en vitrine. Maurice avait passé tout l'hiver à les bichonner et elles étaient, comme il le disait lui-même, « *impec* ». La seule concession au modernisme était une vieille trompe de voiture qui avait la taille et la forme d'un clairon : on l'utilisait pour doubler des équipages moins finement réglés et pour écarter des poulets qui songeaient à traverser la route.

« Allez! Montez! »

Nous prîmes place et nous démarrâmes, en respectant la limitation de vitesse dans la traversée du village. Le chien sur son tas de bois nous adressa un aboiement d'adieu et nous nous lançâmes dans la campagne.

Voyager dans pareil équipage vous fait regretter l'invention de l'automobile. On a sur toute chose une vue différente, plus imposante, d'une certaine façon plus intéressante. Il y a un balancement rythmé et confortable quand la suspension s'adapte au pas du cheval, au chan-

gement de revêtement et à la chaussée plus ou moins bom-
bée. Il y a un plaisant fond sonore de bruits démodés : le
crissement des harnais, le claquement des sabots, les jantes
d'acier des roues qui broient la pierraille de la route. Il y a
le parfum : un mélange de sueur de cheval, de graisse de
selle, de vernis, et les odeurs des champs vous parviennent
sans être arrêtées par des vitres. Et puis il y a la vitesse, ou
plutôt son absence, qui vous laisse le temps de *regarder*.
En automobile, on est dans un train qui file : on voit une
image floue, une impression. On est isolé du paysage.
Dans une voiture à cheval, on en fait partie.

« Au trot ! » Maurice effleura de son fouet la croupe du
cheval et nous passâmes en seconde. « C'est une pares-
seuse, celle-ci, dit-il, et gourmande. Elle va plus vite au
retour : elle sait qu'elle va manger. » Un long champ écar-
late, fleuri de coquelicots, se déroulait lentement dans la
vallée au-dessous de nous. Dans le ciel, une buse tour-
noyait, en équilibre dans l'air. Un nuage masqua quelques instants le soleil, dont les rayons perçaient en traits
d'un noir bleuté.

Nous quittâmes la route pour suivre un étroit chemin
qui sinuait parmi les arbres : le bruit des sabots des chevaux était étouffé par d'odorants tapis de thym sauvage.
Je demandai à Maurice comment il découvrait ces coins à
pique-nique et il me dit que chaque semaine, pendant son
jour de congé, il explorait la région à cheval, chevauchant
parfois des heures sans rencontrer personne.

« Nous ne sommes qu'à vingt minutes d'Apt, dit-il,
mais personne ne monte jusqu'ici. Il n'y a que les lapins et
moi. »

La forêt s'épaissit, le chemin se rétrécit : il était à
peine assez large pour la voiture. Puis nous contournâmes
un affleurement rocheux, nous plongeâmes dans un tun-
nel sous les branches : il était là, étalé devant nous. Le
déjeuner.

« Voilà ! fit Maurice. Le restaurant est ouvert. »

Au fond d'une clairière verdoyante, une table pour dix était dressée à l'ombre d'un large chêne-liège : une table recouverte d'une nappe blanche immaculée, des seaux à glace, des serviettes amidonnées, des coupes de fleurs fraîchement cueillies ; ne manquaient ni la précieuse argenterie ni les indispensables sièges. Derrière la table, une borie de pierres sèches depuis longtemps inhabitée avait été transformée en bar rustique : j'entendais sauter les bouchons et tinter les verres. Toutes mes appréhensions à propos du pique-nique disparurent. On était aussi loin qu'on pouvait l'imaginer d'un derrière mouillé et de sandwiches aux fourmis.

À l'aide de cordes, Maurice délimita un coin de la clairière, puis il détacha les chevaux qui se roulèrent dans l'herbe avec le soulagement de deux dames d'un certain âge libérées de leurs corsets. On tira les volets de la diligence et le plus jeune de nos invités se retira pour faire une sieste tandis que le reste d'entre nous dégustait, dans la minuscule cour de la borie, une coupe revigorante de champagne aux pêches frappé.

Rien de tel qu'une aventure dans le confort pour mettre les gens de bonne humeur : Maurice n'aurait guère pu espérer un public qui lui prodiguât davantage de compliments. Il les méritait. Il avait pensé à tout : depuis la glace en abondance jusqu'aux cure-dents et, comme il l'avait annoncé, nous ne risquions pas de mourir de faim. Il nous pria de nous asseoir et nous présenta le premier plat : melon, œufs de caille, brandade de morue bien crémeuse, pâté de gibier, tomates farcies, champignons marinés – cela continuait sans fin d'un bout à l'autre de la table. On aurait dit, sous le soleil qui filtrait à travers les branches, une nature morte d'une incroyable perfection arrachée aux pages d'un de ces livres de cuisine artistiques qui ne voient jamais l'intérieur d'une cuisine.

Il y eut une brève pause, puis on m'offrit la carte d'anniversaire la plus lourde et la plus précise que j'eusse jamais reçue : un panneau routier rond en métal, de soixante centimètres de diamètre, qui rappelait brutalement en gros chiffres noirs le passage des années. 50. Bon anniversaire et bon appétit.

Nous mangeâmes et bûmes comme des héros : nous nous levions entre les plats, le verre à la main, pour de petites promenades réparatrices avant de revenir nous mettre à table. Le déjeuner dura près de quatre heures : quand on servit le café et le gâteau d'anniversaire, nous étions parvenus à cet état d'inertie satisfaite où même la conversation est conduite au ralenti. Je voyais le monde en rose. Cinquante ans, c'était un âge merveilleux.

Les chevaux avaient dû remarquer le poids accru de leur charge quand ils quittèrent la clairière pour regagner la route qui menait à Buoux. Ils semblaient pourtant plus nerveux que le matin. Ils agitaient la tête et flairaient l'air de leurs naseaux frémissants. De brusques coups de vent arrachaient les chapeaux de paille et il y eut un grondement de tonnerre. En quelques minutes, le ciel bleu vira au noir.

Nous venions d'atteindre la route quand la grêle se mit à tomber : des grêlons gros comme des pois et qui faisaient mal, nous frappant le crâne dans la calèche découverte et rebondissant sur la large croupe ruisselante de la jument. Elle n'avait pas besoin d'être encouragée au fouet. Elle allait bon train, tête baissée, le corps fumant. Les bords du canotier de Maurice n'étaient plus que des oreilles dépenaillées et son gilet rouge déteignait sur son pantalon. Il se mit à rire et cria dans le vent : « Oh là là, le pique-nique anglais ! »

Ma femme et moi nous fîmes une tente d'une couverture de voyage et nous nous retournâmes pour voir comment se comportait la diligence sous l'averse. Le toit était de toute évidence moins étanche qu'il n'en avait l'air. Des mains apparaissaient sur le côté, déversant par-dessus bord des chapeaux pleins de pluie.

Nous entrâmes dans Buoux, Maurice arc-bouté, les jambes tendues, tenant la bride serrée pour résister à l'impétueux enthousiasme de la jument. Elle avait senti l'écurie et l'avoine. Au diable les humains et leur pique-nique.

Les victimes de l'orage, trempées mais joyeuses, se rassemblèrent dans le restaurant pour être ranimées au thé, au café et au marc. Disparus les élégants pique-niqueurs de la matinée : ils avaient été remplacés par des personnages dégoulinants, aux cheveux aplatis, arborant des tenues plus ou moins transparentes. À travers un pantalon jadis blanc et opaque, un caleçon nous souhaitait à tous Joyeux Noël en lettres rouges. Des toilettes mousseuses étaient devenues collantes et les chapeaux de paille ressemblaient à des assiettes de flocons d'avoine congelés. Chacun se tenait dans sa petite flaque d'eau privée.

Marcel, le serveur, qui avait ramené le fourgon, distribua un assortiment de vêtements secs en même temps que le marc, et le restaurant se transforma bientôt en vestiaire. Bennett, pensif sous sa casquette de base-ball, se demandait s'il pourrait emprunter un caleçon de bain pour le voyage de retour : la Land Rover était inondée et le siège du conducteur s'était transformé en mare. Mais au moins, dit-il en regardant par la fenêtre, l'orage était passé.

S'il était passé à Buoux, il n'avait jamais eu lieu à Ménerbes. L'allée de la maison était encore poussiéreuse, l'herbe encore brune, la cour toujours brûlante. Nous regardâmes le soleil hésiter un moment dans l'encoche entre les deux pics à l'ouest de la maison avant de disparaître dans un horizon empourpré.

« Alors, dit ma femme, maintenant tu aimes bien les pique-niques ? »

Quelle question ! Bien sûr que j'aime les pique-niques. *J'adore* les pique-niques.

8

Le flic

C'était de la malchance de ne pas avoir de monnaie pour le parcmètre un des rares jours où les responsables de la circulation de Cavaillon étaient déployés en force. Ils sont deux : des hommes bien en chair et au pas lent qui font de leur mieux pour prendre un air sinistre sous leur képi et leurs lunettes de soleil quand ils passent avec une infinie lenteur d'une voiture à l'autre, en quête d'une contravention à distribuer.

J'avais trouvé un parcmètre libre qu'il fallait alimenter et j'entrai dans un café voisin pour trouver des pièces de un franc. Quand je revins à la voiture, une imposante silhouette vêtue de bleu lorgnait d'un œil méfiant le cadran de l'appareil. Le policier releva les yeux et braqua ses lunettes de soleil sur moi en tapotant la vitre de son stylo.

« Le temps est passé. » J'expliquai mon problème, mais il n'était pas d'humeur à envisager des circonstances atténuantes.

« Tant pis pour vous, fit-il. C'est une contravention. »

Je regardai autour de moi pour constater qu'il y avait une demi-douzaine de voitures qui stationnaient en double file. Le camion d'un maçon, débordant de déblais, était abandonné au coin d'une petite rue, dont il bloquait complètement la sortie. De l'autre côté de la route, on

avait laissé une camionnette empiéter sur un passage protégé. Mon crime paraissait relativement mineur auprès de
ces délits flagrants et j'eus l'imprudence de le dire.

Je devins alors officiellement invisible. Pas de réponse,
à l'exception d'un reniflement irrité, et le défenseur de
l'ordre public passa devant moi de façon à pouvoir noter le
numéro de la voiture. Il dégaina son carnet et consulta sa
montre. Il entreprenait de coucher sur le papier mes
péchés – ajoutant sans doute une amende en prime pour
impertinence – quand une voix l'interpella du café où
j'étais allé chercher de la monnaie.

« Hé, toi, Georges ! »

Georges et moi nous nous retournâmes pour voir un
homme trapu qui se frayait un chemin entre les tables et
les chaises, agitant un doigt d'un côté à l'autre dans ce
signe de sténographie provençale qui exprime un violent
désaccord.

Cinq minutes durant, Georges et l'homme trapu haus-
sèrent les épaules, gesticulèrent et s'administrèrent de
sévères tapes sur la poitrine tout en discutant mon cas.
C'était vrai, affirma le nouveau venu. Monsieur venait
juste d'arriver et il était justement entré dans le café pour
faire de la monnaie. Il y avait des témoins. D'un geste
large il désigna le café où trois ou quatre visages se tour-
naient vers nous dans le crépuscule du bar.

« La loi est la loi, répliqua Georges. D'ailleurs, j'ai
commencé à remplir le formulaire : on ne peut donc rien
faire, c'est irrévocable.

– Mais c'est de la connerie, ça. Modifie le formulaire
et donne-le à cette tête de mule qui bloque la rue avec son
camion. »

Georges faiblissait. Il regarda le camion, puis son carnet, renifla une nouvelle fois et se tourna vers moi pour
pouvoir avoir le dernier mot. « La prochaine fois, tâchez
d'avoir de la monnaie. » Il me fixa d'un regard intense,

enregistrant sans doute dans sa mémoire mon faciès de
criminel au cas où il pourrait en avoir besoin un jour pour
appréhender un suspect. Puis il s'éloigna sur le trottoir, se
dirigeant vers le camion du maçon.

Mon sauveteur eut un large sourire et secoua la tête.
« En voilà un qui a la cervelle grosse comme un pois
chiche. » Je le remerciai. Est-ce que je pouvais lui offrir
un verre ? Nous entrâmes ensemble dans le café, nous
prîmes place à une table sombre dans le coin et je passai là
les deux heures suivantes.

Il se prénommait Robert. Il n'était pas vraiment petit,
pas vraiment gros, mais large de torse et de taille, le cou
épais, le visage sombre, la moustache entreprenante. Son
sourire découvrait un paysage contrasté de plombages et
de dents jaunies par la nicotine. Ses yeux bruns pétillaient
d'amusement. Il y avait chez lui un charme légèrement
douteux, le charme d'une séduisante canaille. Je l'imaginais très bien sur le marché de Cavaillon, vendant de la
vaisselle garantie indestructible et des jeans presque
authentiques, selon ce qui avait pu tomber de l'arrière
d'un camion le soir précédent.

Je découvris qu'il avait été policier : c'est ainsi qu'il en
était arrivé à connaître Georges et à le prendre en grippe.
Il était maintenant consultant en sécurité : il vendait des
systèmes d'alarme aux propriétaires de résidences
secondaires du Luberon. Partout, de nos jours, il y avait
des cambrioleurs qui cherchaient la fenêtre ouverte ou la
porte mal fermée. C'était merveilleux pour les affaires.
Est-ce que j'avais un système d'alarme ? Non ? Quelle
horreur ! Il me glissa une carte sur la table. Il y avait son
nom et un slogan qui proclamait « L'Alarme, la Technologie du Futur », message qui semblait quelque peu en
contradiction avec sa marque de fabrique, un petit dessin
représentant un perroquet sur son perchoir qui criait :
« Au voleur ! »

Cela m'intéressait d'avoir des précisions sur son travail dans la police et les raisons qui l'avaient poussé à
l'abandonner. Il s'installa dans un nuage de fumée de
Gitanes, brandit son verre vide en direction du barman
pour un nouveau pastis et entama son récit.

Au début, raconta-t-il, ça avait été un peu lent.
Attendre de l'avancement comme tout le monde, traîner
dans la routine, être accablé de travaux de bureau
ennuyeux : ce n'était pas le genre d'existence qu'il avait
espéré. Et puis survint le coup de chance, lors d'un week-
end à Fréjus, où il passait quelques jours de congé.

Tous les matins, il allait prendre son petit déjeuner
dans un café qui donnait sur la mer et chaque matin à la
même heure, un homme descendait sur la plage pour donner des leçons de planche à voile ; Robert regardait, avec le
vague intérêt d'un vacancier, l'homme monter sur sa
planche, tomber à l'eau et remonter.

Il y avait chez lui quelque chose de familier. Robert ne
l'avait jamais rencontré, il en était certain, mais il l'avait
vu quelque part. Il avait une grosse verrue sur le cou, un
tatouage sur le bras gauche, le genre de petits signes particuliers qu'un policier remarque et n'oublie plus. Ce fut le
profil du véliplanchiste qui éveilla les souvenirs de
Robert : la verrue sur le cou et le nez légèrement aquilin.

Au bout de deux jours, « Eurêka ! » ça lui revint. Il
avait vu le profil, en noir et blanc, avec un chiffre inscrit
en dessous : une photographie d'identité, d'identité judiciaire. Le véliplanchiste avait un dossier.

Robert se rendit à la gendarmerie locale, et une demi-
heure plus tard il contemplait le visage d'un homme qui
s'était évadé de prison l'année précédente. C'était le chef
du gang de Gardanne et il était réputé dangereux. Les
signes particuliers comprenaient une verrue sur le cou et
un tatouage sur le bras gauche.

On tendit une embuscade, que Robert me décrivit non

sans mal entre deux éclats de rire. Vingt officiers de police, en maillots de bain, firent de bon matin leur apparition sur la plage en s'efforçant de ne pas se faire remarquer malgré l'étrange similitude de leur bronzage : les avant-bras hâlés, le V plus foncé à l'encolure, le visage bronzé, tout le reste, des doigts de pied aux épaules, d'un blanc qui n'avait jamais subi les atteintes du soleil. Heureusement, le fugitif était trop occupé à monter sur sa planche pour trouver suspecte la présence de vingt hommes pâles qui flânaient avec application jusqu'au moment où ils l'encerclèrent dans l'eau et l'emmenèrent. En fouillant par la suite le studio qu'il occupait à Fréjus, on découvrit deux Magnums 357 et trois grenades.

On attribua à Robert le mérite de l'arrestation et on le détacha en civil à l'aéroport de Marignane où l'on pourrait pleinement utiliser ses facultés d'observation.

Je l'interrompis un instant car j'avais toujours été étonné par le manque de surveillance officielle à Marseille. Les passagers qui débarquent peuvent laisser leurs bagages à main à des amis tandis qu'ils vont chercher leurs valises et, s'ils n'ont qu'un bagage à main, ils n'ont pas besoin de passer la douane. Étant donné la réputation de Marseille, voilà qui me semblait d'une étrange désinvolture.

Robert pencha la tête et posa un doigt boudiné sur l'aile de son nez. Ce n'est pas aussi *décontracté* qu'il y paraît, m'expliqua-t-il. La police et les douaniers, tantôt déguisés en hommes d'affaires, tantôt en jeans et en T-shirts, sont toujours là. Ils se mêlent aux passagers, déambulent dans les parkings, l'œil et l'oreille aux aguets. Lui-même avait pincé un jour deux petits trafiquants : pas du gros gibier, juste des amateurs, qui croyaient qu'une fois dans le parc de stationnement ils étaient en sûreté, qu'ils pouvaient se donner de grandes claques dans le dos et discuter du coup qu'ils venaient de faire. De la folie.

Mais il y avait des semaines où il ne se passait pas grand-chose et l'ennui avait fini par le gagner. Ça et son *zizi*. Il eut un grand sourire en désignant du pouce son entrejambe.

Au moment où elle montait dans une voiture avec des plaques d'immatriculation suisses, il avait arrêté une fille – une jolie fille, bien habillée, voyageant seule : la *mule* classique des trafiquants de drogue. Il lui avait posé la question classique : depuis combien de temps la voiture était-elle en France ? Elle s'était montrée nerveuse, puis amicale, puis extrêmement amicale et ils avaient tous les deux passé l'après-midi ensemble à l'hôtel de l'aéroport. On avait vu Robert en sortir avec elle et voilà. *Fini.* Par une amusante coïncidence, cette semaine-là un gardien de la prison des Baumettes à Marseille avait été surpris à passer du scotch à un des prisonniers dans des pots de yogourt trafiqués. *Fini* pour lui aussi – Robert haussa les épaules. C'était mal, c'était stupide, mais les policiers ne sont pas des saints. Il y a toujours les brebis galeuses. Il baissa les yeux vers son verre, l'image même d'un homme repenti qui regrette ses méfaits passés. Un petit dérapage, et voilà une carrière ruinée. Je commençais à me prendre de compassion pour lui et je le lui dis. Il me tendit la main à travers la table pour me tapoter le bras, mais gâcha son effet en disant qu'avec un autre verre il se sentirait beaucoup mieux. Il se mit à rire et je me demandai dans quelle mesure ce qu'il m'avait raconté était vrai.

Dans un grand élan aux effluves de pastis, Robert avait annoncé qu'il passerait un jour à la maison afin de nous donner quelques conseils sur des arrangements de sécurité. Aucune obligation de notre part : simplement, si nous décidions de rendre notre demeure imprenable, il nous installerait les pièges à cambrioleurs les plus perfectionnés à un prix d'ami.

Je le remerciai et n'y pensai plus. Il ne faut jamais prendre trop au sérieux les services qu'on vous propose dans des bars, surtout en Provence, où les promesses faites dans la plus extrême sobriété risquent de mettre des mois à se concrétiser. D'ailleurs, j'avais vu avec quel soin le public ignore dans les rues les hurlements des sirènes d'alarme d'une voiture : je n'étais pas convaincu de l'effet dissuasif des systèmes électroniques. Je me fiais davantage à un chien qui aboie.

À ma grande surprise, Robert vint comme il l'avait dit : au volant d'une B.M.W. argent hérissée d'antennes, vêtu d'un pantalon dangereusement étroit et d'une chemise noire, évoluant dans un nuage de lotion après-rasage à la senteur agressivement musquée. Sa compagne, qu'il me présenta comme son amie Isabelle, nous expliqua cette apparition miraculeuse : ils allaient déjeuner à Gordes et Robert sentait que c'était là une occasion d'allier le plaisir aux affaires. Il parvint à donner à sa phrase une résonance infiniment suggestive.

Isabelle n'avait pas plus de vingt ans. Une frange blonde effleurait la monture de ses gigantesques lunettes de soleil. Une partie réduite au minimum de son corps était enveloppée d'élastex rose vif. Un tube iridescent qui s'arrêtait à mi-cuisses. Robert insista courtoisement pour qu'elle le précède dans l'escalier qui donnait accès à la maison et de toute évidence il se régalait à chaque marche. C'était un homme qui pouvait vous apprendre à vous rincer l'œil.

Tandis qu'Isabelle se plongeait dans le contenu de sa trousse à maquillage, je fis faire à Robert le tour du propriétaire et, comme on pouvait s'y attendre, il me dressa une liste inquiétante des occasions qu'offrait notre maison au plus stupide des cambrioleurs muni d'un tournevis. Fenêtres, portes et volets furent tous inspectés et qualifiés de pratiquement inutiles. Et les chiens ? *Aucun problème.*

Quelques bouts de viande imprégnés de somnifère en auraient raison. La maison serait ensuite à la merci des voleurs. L'envahissante lotion après-rasage de Robert déferlait sur moi par bouffées tandis qu'il me coinçait contre le mur. *Vous n'avez pas idée de ce que ces monstres peuvent faire.*

Il prit un ton confidentiel. Il ne voulait pas que madame mon épouse surprenne ce qu'il allait me dire.

Les cambrioleurs, m'expliqua-t-il, sont souvent superstitieux. Dans bien des cas – il l'avait constaté plus fréquemment qu'il n'aimait y penser – ils éprouvent le besoin, avant de quitter une maison mise à sac, de déféquer, en général sur le plancher, de préférence sur une moquette. Ils croient ainsi que la malchance restera dans la maison au lieu de les accompagner. *De la merde partout*, dit-il, et à l'entendre on aurait cru qu'il venait de marcher dedans. C'est désagréable, non ? Ça l'était assurément. « Désagréable » était même un euphémisme.

Mais, poursuivit Robert, la vie était parfois juste. Tout un groupe de cambrioleurs avait un jour été appréhendé en raison même de cette superstition. La maison avait été passée au peigne fin, le butin chargé dans un camion et il ne restait plus qu'à accomplir le geste d'adieu, pour porter chance. Cette fois, le chef de la bande éprouva des difficultés considérables à apporter sa contribution. Malgré tous ses efforts, il ne se passait rien. Il était très, très constipé. Si bien qu'il était toujours là, accroupi et maudissant le ciel, quand la police arriva.

C'était une histoire réconfortante. Je me rendis compte pourtant qu'à en croire la moyenne nationale, nous n'avions qu'une chance sur cinq de recevoir la visite d'un cambrioleur constipé. Nous ne pouvions pas tabler là-dessus.

Robert m'emmena dans le jardin et commença à me proposer ses plans pour transformer la maison en forteresse. Au bas de l'allée, des grilles d'acier commandées électroniquement. Devant la maison, un système d'éclairage volumétrique : tout ce qui était plus gros qu'un poulet remontant l'allée serait pris dans le faisceau d'une batterie de projecteurs. Les cambrioleurs un peu timorés renoncent alors à leur projet et partent en courant. Mais, pour être absolument protégé, pour pouvoir dormir comme un enfant, il fallait avoir aussi le dernier cri, si je puis dire, en matière de dissuasion : *la maison hurlante*.

Robert marqua un temps pour évaluer ma réaction devant cette abominable innovation et lança un sourire à Isabelle qui inspectait ses ongles par-dessus ses lunettes de soleil. Ils étaient d'un rose vif parfaitement assorti à sa robe.

« Ça va, Chouchou ? »

Elle agita dans sa direction une épaule couleur de miel et ce fut au prix d'un effort manifeste que je le vis revenir aux maisons hurlantes.

Cela se faisait avec des faisceaux électroniques qui protégeaient chaque porte, chaque fenêtre, chaque orifice plus grand qu'une fente. Ainsi, si un voleur décidé et au pied léger réussissait à escalader les grilles d'acier et à franchir sur la pointe des pieds le barrage des projecteurs, le moindre contact de son doigt sur une fenêtre ou sur une porte déclencherait des hurlements dans la maison. On pouvait aussi, bien sûr, accroître l'effet en installant sur le toit un amplificateur : dans ce cas on entendrait les clameurs à plusieurs kilomètres.

Mais cela ne s'arrêtait pas là. Au même instant, un associé de Robert habitant près de Gordes, et dont la maison était reliée à notre installation, sauterait aussitôt dans sa voiture avec son pistolet chargé et son gros berger allemand. Bien à l'abri derrière cette protection à plusieurs niveaux, je serais parfaitement tranquille. Cela me paraissait tout sauf tranquille. Je songeai aussitôt à Amédée sur son tracteur, martelant la grille d'acier à six heures du matin pour aller dans les vignes. Aux projecteurs, s'allumant toute la nuit, chaque fois que des renards, des sangliers ou le chat du voisin traverseraient l'allée. Je nous imaginais déclenchant accidentellement le mécanisme hurleur et devant nous précipiter pour présenter rapidement nos excuses à un homme irrité et armé d'un fusil avant d'être mis en pièces par son chien. La vie à Fort Knox allait être un enfer permanent et dangereux. Même pour nous barricader contre l'invasion d'août, cela ne justifierait tout simplement pas une telle usure nerveuse.

Par chance, Robert fut bientôt détourné de ses efforts de vendeur. Isabelle, satisfaite maintenant de l'état de ses ongles, de la position de ses lunettes de soleil et de la parfaite adhérence à ses formes de son petit fourreau de tissu, était prête à partir. Elle roucoula à son intention à travers la cour : « Bobo, j'ai faim.

– Oui, oui, chérie. Deux secondes. » Il se tourna vers moi et tenta de revenir aux affaires : mais son mécanisme hurleur s'était déclenché et notre sécurité domestique n'était pas la priorité du moment.

Je lui demandai où il allait déjeuner.

« À *La Bastide*, vous connaissez ? Autrefois, c'était la gendarmerie. Quand on a été flic, on le reste, hein ? »

Je lui signalai que j'avais entendu dire que c'était également un hôtel et il me fit un clin d'œil. Il avait le clin d'œil très expressif : celui-là exprimait la plus grande lubricité.

« Je sais », fit-il.

9

*Un athlète
de la gourmandise*

Ce fut par des amis que nous entendîmes parler de Régis. Ils l'avaient invité à dîner et, dans la matinée, il avait téléphoné pour demander ce qu'on lui servirait. Même en France, c'est manifester pour le menu un intérêt qui dépasse la normale : son hôtesse était intriguée. Pourquoi le demandait-il ? Il y aurait des moules froides farcies, un rôti de porc avec une sauce aux truffes, du fromage, des sorbets faits à la maison. Un de ces plats posait-il un problème ? Souffrait-il d'allergies ? Était-il devenu végétarien ? Était-il, Dieu me pardonne, au régime ?

Assurément pas, répondit Régis. Tout cela avait l'air délicieux. Mais il y avait un petit inconvénient : il souffrait d'une crise aiguë d'hémorroïdes et n'arrivait pas à rester assis durant tout un dîner. Un seul plat était tout ce à quoi il pouvait parvenir sans inconfort et il voulait choisir celui qui le tentait le plus. Il était sûr que son hôtesse compatirait.

Comme c'était Régis, ce fut le cas. Régis, nous raconta-t-elle plus tard, était un homme qui consacrait sa vie à la table : fin connaisseur, il portait un intérêt presque obsessionnel à ce qui se mangeait et se buvait. Mais pas en glouton. Non, Régis était un gourmet qui se trouvait doué d'un appétit énorme et délicat à la fois. Et puis, nous dit-elle, il était amusant quand il parlait de ses passions, et il avait des opinions que nous trouverions peut-être intéressantes sur l'attitude des Anglais face à la nourriture. Peut-être aimerions-nous le rencontrer quand il se serait remis de ses ennuis de postérieur ?

Et un soir, quelques semaines plus tard, nous fîmes sa connaissance.

Il arriva en hâte, tenant entre ses bras une bouteille de champagne Krug froide mais pas tout à fait frappée ; il passa les cinq premières minutes à s'affairer devant un seau à glace pour amener la bouteille à la température de dégustation convenable : entre cinq et sept degrés, déclara-t-il. Tout en faisant doucement pivoter la bouteille dans le seau, il nous raconta un dîner auquel il avait été invité la semaine précédente : un désastre gastronomique. Il ne s'était amusé qu'à la fin, nous raconta-t-il, lorsqu'une des invitées avait fait ses adieux à leur hôtesse.

« Étonnante soirée, avait-elle dit. Tout était froid, sauf le champagne. »

Régis en frissonnait de rire. Il ôta le bouchon avec un tel soin que seul un discret soupir effervescent signala l'ouverture de la bouteille.

C'était un homme de bonne taille, brun et corpulent, avec les yeux d'un bleu profond qu'on est parfois surpris de trouver sur des visages provençaux au teint bistre. Contrairement à nous autres qui arborions des tenues conventionnelles, il portait un survêtement : gris pâle avec un liseré rouge et l'emblème du *Coq sportif* brodé sur la poitrine. Ses chaussures étaient tout aussi athlétiques : une création compliquée avec plusieurs épaisseurs de caoutchouc de différentes couleurs, plus faites pour courir un marathon que pour passer une soirée sous une table de salle à manger. Il vit que je les regardais.

« Il faut que je sois à l'aise quand je mange, dit-il, et rien n'est plus confortable que la tenue des athlètes. Et puis... » – il tira sur l'élastique de sa ceinture – « ... on a la place pour une seconde portion. C'est très important. » Il eut un grand sourire et leva son verre. « À l'Angleterre et aux Anglais, aussi longtemps qu'ils garderont pour eux leur cuisine. »

La plupart des Français que nous avions rencontrés traitaient avec un dédain plus ou moins marqué la cuisine britannique, sans en connaître grand-chose. Mais Régis était différent : il avait étudié les Anglais et leurs habitudes alimentaires ; au cours du dîner, il nous expliqua avec précision ce qui n'allait pas.

« Ça commence, dit-il, avec la toute petite enfance. On nourrit le bébé anglais avec une bouillie sans goût, le genre de pâtée qu'on donnerait à un poulet qui n'a pas de discernement, une nourriture sans caractère. Le bébé français, en revanche, avant même qu'il ait des dents, est traité comme un être humain doté de papilles gustatives. » À l'appui de ses dires, Régis décrivit le menu proposé par Gallia, un des principaux fabricants d'aliments pour bébé. On y trouvait de la cervelle, du filet de sole, du poulet au riz, du thon, de l'agneau, du foie, du veau, du gruyère, des potages, des fruits, des légumes, des puddings au coing et à la myrtille, de la crème caramel et du fromage blanc. « Tout cela, et bien d'autres mets encore, déclara Régis, avant que l'enfant ait dix-huit mois. Vous comprenez ? On fait l'éducation du palais. » Il s'interrompit pour baisser la tête vers le poulet à l'estragon qu'on venait de déposer devant lui : il inhala et ajusta la serviette coincée dans le col de son survêtement.

Sautant alors quelques années, il en arriva à l'âge où le gourmet en herbe va à l'école. Est-ce que je me souvenais, me demanda-t-il, de ce que je mangeais à l'école ? Je me rappelais bel et bien, avec horreur : il hocha la tête d'un air compatissant. L'alimentation dans les collèges britanniques, affirma-t-il, est tristement célèbre pour être

mystérieuse, inodore et sans saveur : on ne sait jamais ce
qu'on essaie de se forcer à avaler. Mais à l'école de village
fréquentée par sa fille de cinq ans, le menu pour la
semaine est placardé au tableau d'affichage : on ne répétera donc pas les mêmes repas à la maison et chaque jour
il y a un déjeuner de trois plats. La veille, par exemple, la
petite Mathilde avait mangé une salade de céleri avec une
tranche de quiche au jambon et au fromage, des saucisses
au riz et des bananes cuites. Voilà ! Le palais poursuit son
éducation. Il est donc inévitable que l'adulte français
sache mieux apprécier la nourriture et qu'il ait de plus
hautes espérances que l'adulte anglais.

Régis coupa une tranche d'une poire rebondie pour
accompagner son fromage : il pointait son couteau vers
moi comme si j'étais responsable de la mauvaise éducation
des palais britanniques. « Passons maintenant, dit-il, aux
restaurants. » Il secoua la tête d'un air consterné et posa
les mains sur la table, les paumes tournées vers le haut, les
doigts serrés. « Ici – la main gauche se souleva de quelques centimètres –, vous avez le pub. Pittoresque, mais où
la nourriture n'est qu'une éponge pour absorber la bière.
Ici – l'autre main s'éleva un peu plus haut –, vous avez
des restaurants chers pour hommes d'affaires dont la
société paie les repas. Et entre les deux ? »

Régis contempla l'espace séparant ses deux mains. Les
coins de sa bouche tirés vers le bas, son visage joufflu
exprimant le plus profond désespoir. « Entre les deux,
c'est le désert. Rien. Où sont vos bistrots ? Où sont vos
honnêtes restaurants où l'on prépare une cuisine bour-
geoise ? Où sont vos relais de routiers ? Qui sauf un
homme riche peut se permettre de bons repas au restaurant en Angleterre ? »

J'aurais aimé discuter avec lui, mais je manquais
d'arguments. Il soulevait des questions que nous-mêmes
nous étions posées bien des fois quand nous vivions à la

campagne en Angleterre : le choix là-bas se limitait à des pubs ou à des restaurants tape-à-l'œil qui croyaient être à la hauteur, avec des additions dignes de Londres. Nous avions fini par renoncer, vaincus par les spécialités réchauffées au four à micro-ondes et cérémonieusement servies dans des paniers par des gens charmants mais incompétents qui s'appelaient Justin ou Emma.

Régis remua son café et hésita un moment entre le calvados et la haute bouteille givrée d'eau-de-vie de poire de chez Manguin, en Avignon. Je l'interrogeai sur ses restaurants favoris.

« Il y a toujours les Baux, dit-il. Mais l'addition est spectaculaire. » Il secoua sa main comme s'il s'était brûlé les doigts. « Ce n'est pas pour tous les jours. D'ailleurs, je préfère des endroits plus modestes, moins internationaux.

– En d'autres mots, dis-je, plus français.

– Voilà! fit Régis. Plus français, et où on trouve un bon rapport qualité-prix. Ça existe encore ici, vous savez, à tous les niveaux. J'ai fait une étude là-dessus. »

J'en étais certain, mais il ne m'avait toujours donné aucun nom, à l'exception des Baux : et cela, nous le gardions pour le jour où nous aurions gagné au Loto. N'avait-il pas une adresse un peu moins grandiose ?

« Si vous voulez, proposa Régis, ce serait amusant de déjeuner dans deux restaurants, très différents, mais tous les deux de grande classe. » Il but une autre gorgée de calvados – « pour la digestion » – et se renversa sur son siège. « Oui, reprit-il, ce sera ma contribution à l'éducation des Anglais. Votre femme viendra, naturellement. » Bien sûr qu'elle viendrait! La femme de Régis, hélas! ne nous accompagnerait pas. Elle serait à la maison à préparer le dîner.

Il nous donna rendez-vous en Avignon, dans un des cafés de la place de l'Horloge : il nous révélerait alors le nom du premier des deux restaurants qu'il aurait choisis. À l'autre bout du fil, il posa sur ses doigts un baiser bruyant et nous conseilla de ne prendre aucune disposition pour l'après-midi. En sortant d'un déjeuner comme celui qu'il prévoyait, il serait tout juste question d'un petit digestif : rien de plus.

Nous le vîmes se diriger vers nous en traversant la place comme une frégate aux voiles gonflées par le vent : il évoluait avec une certaine légèreté pour un homme de sa corpulence, dans ses baskets noires et ce qui devait être son survêtement habillé, noir aussi, avec U.C.L.A. en lettres roses sur une cuisse charnue. Il avait à la main un panier à provisions et un de ces petits sacs à fermeture éclair où les cadres français rangent leurs documents et leur flacon d'eau de Cologne de secours.

Il commanda une coupe de champagne et nous montra quelques bébés melons, pas plus gros que des pommes, qu'il venait d'acheter au marché. Il fallait les vider soigneusement, ajouter une dose de ratafia confectionné avec du jus de raisin additionné de cognac et les laisser vingt-quatre heures au réfrigérateur. Régis nous en donnait l'assurance : ils auraient le goût des lèvres d'une jeune fille. Je n'avais jamais pensé au melon en ces termes, mais j'attribuais cela aux lacunes de mon éducation anglaise. Après avoir une dernière fois tendrement serré leurs petits derrières verts, Régis remit les melons dans son panier et en vint à la grande affaire de la journée.

« Nous allons, annonça-t-il, chez Hiély, juste là, rue de la République. Pierre Hiély est un prince de la cuisine. Cela fait vingt, vingt-cinq ans qu'il est aux fourneaux, et c'est un prodige. Jamais un repas décevant. » Régis agita son index dans notre direction. « Absolument jamais ! »

À l'exception d'un petit menu encadré à l'entrée, Hiély ne fait pas d'effort pour attirer le passant. La porte étroite donne sur un corridor exigu et le restaurant est à l'étage. C'est une grande salle avec un beau parquet à chevrons. La décoration est dans des couleurs sobres et les tables agréablement espacées. Ici, comme dans la plupart des bons restaurants français, on traite aussi bien le client solitaire qu'un groupe de six ou huit personnes. Les tables pour un ne sont pas encastrées dans un recoin comme si on avait à la dernière minute pensé à les installer, mais dans des alcôves dont les fenêtres donnent sur la rue. Elles étaient déjà occupées par des hommes en complet-veston : sans doute des hommes d'affaires du quartier qui avaient à peine deux heures pour grignoter un petit rien avant de regagner leurs bureaux. Les autres clients, tous Français sauf nous, avaient des tenues moins formelles.

Je me souvenais m'être vu refuser une table parce que je ne portais pas de cravate dans un restaurant du Somerset qui se donnait des airs : cela ne m'est jamais arrivé en France. Régis, qui dans son survêtement avait l'air d'un réfugié échappé d'un hôtel diététique, était accueilli comme un roi par Mme Hiély. Il laissa son panier à provisions au vestiaire et demanda si M. Hiély était en forme. Madame se permit un sourire. « Oui, comme toujours. »

Régis eut un sourire rayonnant et se frotta les mains : comme on nous conduisait à notre table, il humait l'air pour voir s'il décelait le moindre fumet de ce qui allait venir. Dans un autre de ses restaurants favoris, raconta-t-il, le chef le laissait entrer dans la cuisine : il fermait les yeux et choisissait son plat au nez.

Il coinça sa serviette sous son menton et murmura quelque chose au serveur. « Un grand ? » demanda celui-ci. « Un grand », répondit Régis. Soixante secondes plus tard, il déposa devant nous une grande carafe tout embuée. Régis fut professoral : notre leçon allait commencer. « Dans un restaurant sérieux, dit-il, on peut toujours faire confiance aux vins maison. Celui-ci est un côtes-du-rhône. Santé ! » Il prit une gorgée gargantuesque, la fit rouler quelques secondes dans son palais avant d'exprimer sa satisfaction par un soupir.

« Bon. Maintenant, voulez-vous me permettre de vous donner quelques conseils à propos du menu ? Comme vous le voyez, il y a un menu dégustation, qui est délicieux, mais peut-être un peu long pour un simple déjeuner. Il y a un excellent foie à la carte. Mais nous ne devons pas oublier pour quoi nous sommes ici. » Il nous regarda par-dessus le rebord de son verre. « C'est pour que vous fassiez l'expérience du rapport qualité-prix. N'importe quel bon chef peut vous nourrir fort bien pour cinq cents francs par tête. Le test consiste à voir dans quelle mesure vous pouvez bien manger pour la moitié de cette somme : je vous propose donc le menu court. D'accord ? »

Nous étions d'accord.

Le menu court avait de quoi faire saliver un inspecteur de Michelin : alors vous imaginez deux amateurs anglais comme nous ! Non sans mal, nous fîmes notre choix tandis que Régis fredonnait doucement en consultant la carte des vins. Il fit signe au serveur et il y eut un nouvel échange respectueux de murmures.

« Je vais faire une entorse à ma règle habituelle, dit Régis. Le vin rouge maison est évidemment sans défaut. Mais il y a ici, fit-il en tapotant les pages ouvertes devant lui, il y a ici un petit trésor, pas cher : un vin du Domaine de Trévallon, au nord d'Aix. Pas trop lourd, mais avec le caractère d'un grand vin. Vous allez voir. »

Un garçon descendit à la cave. Un autre arriva avec des amuse-gueule pour nous occuper en attendant que le premier plat fût prêt : de petits ramequins, remplis chacun d'une crémeuse brandade de morue, garnie d'un petit œuf de caille parfaitement frit et couronnée d'olives noires. Concentré, Régis était silencieux : j'entendais le crissement mouillé des bouchons qu'on retirait doucement des bouteilles, les propos qu'échangeaient à voix basse les serveurs, le tintement assourdi des couteaux et des fourchettes contre les fragiles assiettes de porcelaine.

Régis essuya soigneusement son ramequin avec un morceau de pain : il se servait du pain comme d'un instrument pour guider les aliments jusqu'à sa fourchette. Puis il resservit un peu de vin. « Ça commence bien, hein ? »

Le déjeuner continua comme il avait débuté. Un flan de foie de gras dans une sauce épaisse et délicate de champignons sauvages et d'asperges fut suivi de saucisses maison confectionnées avec de l'agneau de Sisteron et de la sauge, servis avec une confiture d'oignons doux. Dans un plat séparé, un gratin de pommes de terre pas plus épais que ma serviette, une unique couche craquante qui fondait dans la bouche.

Maintenant qu'il avait quelque peu émoussé son appétit, Régis était en mesure de reprendre la conversation et il nous parla d'un projet littéraire auquel il songeait. Il avait lu dans le journal que dans le cadre du Festival d'Avignon, on allait inaugurer un centre international pour étudier l'œuvre du marquis de Sade. Il y aurait aussi la représentation d'un opéra en l'honneur du divin marquis et on allait donner son nom à un champagne. Ces événements témoignaient d'un renouveau d'intérêt du public pour le vieux monstre et, comme le fit justement remarquer Régis, même les sadiques sont bien obligés de manger. Son idée, c'était de leur offrir des recettes à eux.

« J'appellerai ça *Cuisine sadique : les recettes du marquis de Sade*, dit-il. Tous les ingrédients seront battus, fouettés, troussés, pressés ou flambés. On utilisera dans les descriptions une foule de termes cruels : je suis sûr que ce sera un succès fou en Allemagne. Mais il faudra que vous me conseilliez pour ce qui est de l'Angleterre. » Il se pencha en avant et prit un ton confidentiel. « Est-ce vrai que tous les hommes qui ont été dans des collèges anglais sont friands de... comment dirais-je... de petites punitions ? » Il but une gorgée de vin et haussa les sourcils. « La fessée, non ? » Je lui dis qu'il devrait essayer de trouver un éditeur qui avait été à Eton et d'inventer une recette où l'on utiliserait le fouet.

« Comment ça, le fouet ? »

J'expliquai de mon mieux et Régis hocha la tête. « Ah ! oui. Peut-être un blanc de poulet avec une sauce au citron très relevée et fouettée. » Il prit quelques notes d'une petite écriture précise au dos de son carnet de chèques. « Un best-seller, c'est certain. » On oublia le best-seller quand Régis nous fit faire le tour du chariot de fromages : il faisait de fréquentes haltes pour nous donner des instructions, à nous et au serveur, sur l'équilibre convenable entre le dur et le mou, le piquant et le doux, le frais et le fait. Il choisit cinq des spécimens proposés et se félicita d'avoir eu la prévoyance de sentir qu'il nous faudrait une seconde bouteille de Trévallon.

Je pris une bouchée d'un fromage de chèvre poivré, et je sentis la transpiration perler sous mes lunettes à l'arête du nez. Le vin descendait en glissant comme de la soie. Ç'avait été un merveilleux repas, parfaitement satisfaisant, servi avec maestria, sans effort, par de grands professionnels. Je dis à Régis à quel point je l'avais apprécié et il me regarda avec surprise.

« Nous n'avons pas fini. Il y a autre chose. » On déposa sur la table une assiette de petites meringues. « Ah ! fit-il, c'est pour nous préparer aux desserts. Elles sont légères comme des nuages. » Il en avala deux coup sur coup et jeta un coup d'œil alentour pour s'assurer que le préposé aux desserts ne nous avait pas oubliés.

Un second véhicule, plus grand et plus chargé que le chariot de fromages, roula prudemment jusqu'à la table pour se garer devant nous. Il y avait de quoi plonger dans le désarroi quiconque avait un problème de poids : des jattes de crème fraîche et de fromage blanc, un gâteau de chocolat aux truffes recouvert d'une sauce au chocolat, des pâtisseries, des vacherins, des babas dégoulinants de rhum, des tartes, des sorbets, des fraises des bois, des fruits au sirop : Régis ne pouvait pas embrasser tout cela du regard en restant assis. Il se leva donc et entreprit de faire lentement le tour du chariot pour être bien sûr que rien ne se dissimulait derrière les framboises fraîches.

Ma femme choisit une glace au miel du pays : le serveur prit une cuillère dans son pot d'eau chaude pour prélever, d'un gracieux mouvement du poignet, un peu de glace de la coupe. Planté là avec assiette et cuillère, il attendait d'autres instructions. « Avec ça ?

— C'est tout, merci. » Régis compensa la retenue de ma femme en procédant à ce qu'il appelait une sélection de textures – chocolat, pâtisseries, fruits et crèmes. Il remonta jusqu'aux coudes les manches de son survêtement. Même lui commençait à s'essouffler.

Je commandai du café. Il y eut un moment de silence choqué : Régis et le serveur me regardèrent.

« Pas de dessert ? fit le serveur.

— Ça fait partie du menu », observa Régis.

Tous deux semblaient soucieux, comme si j'étais soudain tombé malade, mais en vain. Hiély l'avait emporté par knock-out.

L'addition se montait à 230 francs par tête, plus le vin. Nous en avions vraiment eu pour notre argent. Pour 280 francs, nous aurions pu avoir le grand menu dégustation. « Peut-être la prochaine fois », dit Régis. Oui, peut-être la prochaine fois, après trois jours de jeûne et une marche de quinze kilomètres.

On ajourna la seconde moitié du cours de gastronomie pour permettre à Régis de suivre sa cure annuelle. Deux

semaines durant, il prenait des repas frugaux – trois plats
au lieu des cinq dont il avait l'habitude – et il imbibait son
foie d'eau minérale. C'était indispensable pour la régéné-
ration de son organisme.

Pour célébrer la fin de son régime, il proposa de
déjeuner dans un restaurant appelé *Le Bec fin* : il nous
dit de le retrouver là-bas pas plus tard que midi moins le
quart pour être sûrs d'avoir une table. Je ne devrais
avoir aucun mal à le trouver, me dit-il. C'était sur la
Nationale 7, à Orgon : l'établissement était reconnais-
sable au nombre de camions garés dans le parking. Inutile de mettre une veste. Ma femme, plus sage que moi
par cette chaleur, décida de rester à la maison pour sur-
veiller la piscine.

Quand j'arrivai, le restaurant était complètement
cerné de camions, leurs cabines blotties contre les troncs
d'arbre pour profiter des moindres coins d'ombre. Sur le
bas-côté, une demi-douzaine de semi-remorques étaient
arrêtés tête-bêche. Un retardataire arriva, se glissa dans
un étroit passage jouxtant la salle à manger et s'arrêta
dans un sifflement béat de freins hydrauliques. Le chauffeur resta un moment au soleil à se dégourdir le dos. La
courbure de son épine dorsale voûtée était l'exacte
réplique du généreux renflement de sa panse.

Le bar était bourré d'une foule bruyante. Gros
hommes, grosses moustaches, gros ventres, grosses voix.
Régis, planté dans un coin avec un verre, paraissait
presque svelte en comparaison. Comme on était en juillet,
il était en short de coureur à pied avec un gilet sans
manches, son petit sac à fermeture éclair attaché autour
du poignet.

« Salut ! » Il but la dernière gorgée de son pastis et en
commanda deux autres. « C'est autre chose, hein ? Pas
comme Hiély. »

La différence n'aurait pas pu être plus marquée. Derrière le bar, encore humide du chiffon mouillé que Madame maniait d'un geste large, un avis annonçait : *DANGER! RISQUE D'ENGUEULADE!* Par la porte ouverte qui donnait sur les toilettes, j'aperçus un autre placard : *DOUCHE, HUIT FRANCS.* D'une cuisine invisible arrivaient un bruit de casseroles entrechoquées et le piquant parfum de l'ail qui mijotait.

Je demandai à Régis comment il se sentait après sa période de restrictions imposées : il se tourna de côté pour me montrer son ventre de profil. Derrière son bar, Madame l'examina tout en écumant la mousse d'une chope de bière avec une spatule en bois. Ses yeux suivirent la longue courbe qui s'amorçait sous la poitrine de Régis pour s'achever en surplomb à la ceinture de son short. « C'est pour quand, l'accouchement ? » demanda-t-elle.

Nous passâmes dans la salle à manger, trouvâmes une table libre au fond. Une petite femme brune au joli sourire vint nous réciter le règlement ; une des bretelles de son soutien-gorge noir, indisciplinée, résistait à tous ses efforts pour la remettre en place. Pour le premier plat, nous devions aller nous servir au buffet ; il y avait ensuite le choix entre du bœuf, des calmars et un poulet fermier. La carte des vins était brève : rouge ou rosé, en bouteille d'un litre avec un bouchon en plastique, et un bol plein de glaçons. La serveuse nous souhaita bon appétit, exécuta un petit saut qui était presque une révérence, remonta sa bretelle de soutien-gorge et s'en fut avec notre commande.

Régis déboucha la bouteille de vin avec un cérémonial feint et huma le bouchon en plastique. « Un cru du Var, dit-il, sans prétention, mais honnête. » Il but une gorgée et la laissa doucement s'écouler entre ses dents. « Il est bon. »

Nous rejoignîmes au buffet la file des camionneurs. Ils accomplissaient de petits miracles d'équilibre, entassant sur leurs assiettes un assortiment qui à lui seul constituait un repas : deux sortes de saucisson, œufs durs baignant dans la mayonnaise, enchevêtrement de céleri rémoulade, riz au safran agrémenté de poivron, petits pois, carottes râpées, terrine de porc en croûte, rillettes, calmars froids, tranches de melon. Régis grommela en voyant la taille des assiettes et en prit deux : avec une habileté de serveur, il posa la seconde au creux de son avant-bras tout en mettant au pillage chacun des saladiers.

Il y eut un moment de panique quand nous regagnâmes notre table. Comment peut-on seulement songer à déjeuner sans pain ? Où était le pain ? Régis parvint à attirer le regard de notre serveuse, et il porta une main à sa bouche en imitant les mouvements de mastication entre ses doigts pliés et son pouce. Puis il alla prendre une baguette dans le sac en papier posé dans un coin de la pièce et le fit passer à la guillotine avec une rapidité qui me laissa pantois. Les tranches de pain reprenaient encore leur forme après la pression de la lame quand on les déposa devant nous.

Je suggérai à Régis qu'il pourrait peut-être utiliser la guillotine à pain pour son livre de cuisine du marquis de Sade, et il s'arrêta en pleine dégustation de son saucisson.

« Peut-être, dit-il, mais il faut être prudent, surtout pour le marché américain. Avez-vous entendu parler des difficultés à propos du champagne ? »

D'après ce que Régis avait lu dans un article de journal, il semblait que le champagne du marquis de Sade n'avait pas été bien accueilli au pays de la liberté à cause de son étiquette : elle était ornée d'un dessin représentant le buste d'une jeune femme aux formes plantureuses. Cela n'aurait peut-être pas posé de problème si un protecteur de la moralité publique au regard acéré n'avait remarqué la position des bras de la jeune femme. Ce n'était pas explicite, l'étiquette n'était pas dépeinte sur l'étiquette elle-même, mais un je-ne-sais-quoi pouvait laisser penser *qu'on lui avait peut-être ligoté les bras.*

Oh! là là! Imaginez l'effet d'un geste aussi dégénéré sur la jeunesse, sans même parler de quelques adultes sensibles. Il y avait de quoi mettre en lambeaux le tissu social d'un pays : pas question de soirées sadomasochistes au champagne, de Santa Barbara jusqu'à Boston. Dieu seul sait ce qui pourrait se passer dans le Connecticut.

Régis reprit son repas, sa serviette en papier fixée dans le haut de son gilet. À la table voisine, un homme qui attaquait son deuxième plat déboutonna sa chemise pour permettre à l'air de circuler, révélant une prodigieuse panse acajou avec un crucifix en or bien calé entre deux pectoraux poilus. Les clients dans l'ensemble mangeaient de bon appétit : je me demandais comment ils pouvaient réussir à garder l'esprit alerte tout l'après-midi au volant de leur trente tonnes.

Nous sauçâmes nos assiettes vides avec du pain, puis nous fîmes de même pour nos couteaux et nos fourchettes. Notre serveuse arriva avec trois plats ovales en acier inoxydable brûlant. Sur le premier se trouvaient les deux moitiés d'un poulet baignant dans la sauce; sur le deuxième, des tomates farcies à l'ail et au persil; sur le troisième, de petites pommes de terre sautées avec des herbes. Régis flaira tout avant de me servir.

« Qu'est-ce que les routiers mangent, en Angleterre ?

– Deux œufs, du bacon, des frites, des saucisses, des haricots, une grillade, du thé.

– Pas de vin ? Pas de fromage ? Pas de dessert ?»

Pas à ma connaissance, même si mon expérience de routier était très limitée. J'ajoutai qu'il pouvait leur arriver de faire une halte dans un pub, mais que la loi était sévère pour l'alcool au volant.

Régis nous resservit du vin. « Chez nous, en France, affirma-t-il, on nous dit qu'on a droit à un apéritif, une demi-bouteille de vin et un digestif. »

Je déclarai avoir lu quelque part que le taux d'accidents en France était plus élevé que n'importe où en Europe, et deux fois plus qu'en Amérique.

« Ça n'a rien à voir avec l'alcool, répondit Régis. C'est une question de mentalité nationale : nous sommes d'un naturel impatient et nous aimons la vitesse. Malheureusement, nous ne sommes pas tous de bons conducteurs. »

Il sauça son assiette et ramena la conversation sur un terrain plus confortable.

« C'est un poulet de qualité, vous ne trouvez pas ? » Il prit un os dans son assiette et le serra entre ses dents. « De bons os solides. Il a été élevé comme il convient, en plein air. Les os d'un poulet industriel, c'est comme du papier mâché. »

C'était en effet un excellent poulet, ferme mais tendre, parfaitement cuit, comme les patates et les tomates à l'ail. Je lui dis que j'étais surpris non seulement du niveau de la cuisine mais de l'abondance des portions. Et j'étais certain que l'addition ne serait pas douloureuse.

Régis nettoya de nouveau son couteau et sa fourchette et fit signe à la serveuse d'apporter le fromage.

« C'est simple, dit-il. Le routier est un bon client, très fidèle. Il sera toujours prêt à faire cinquante kilomètres de plus pour bien manger à un prix correct : et il dira à d'autres routiers que le restaurant vaut le détour. Dès l'instant que la qualité ne baisse pas, il n'y aura jamais de tables vides. » D'une bouchée de brie piquée sur sa fourchette, il balaya la salle à manger. « Tu vois ? »

Je suivis son regard, et renonçai à compter : il devait bien y avoir près de cent clients en train de déjeuner, peut-être une trentaine d'autres au bar.

« C'est une affaire qui marche. Mais si le chef devient mesquin, s'il commence à tricher sur la qualité, si le service est trop lent, les routiers s'en iront. Au bout d'un mois, il n'y aura plus que quelques touristes, autant dire personne. »

Un grondement dehors : le soleil pénétra dans la salle tandis qu'un camion quittait sa place devant la fenêtre. Notre voisin au crucifix mit ses lunettes de soleil pour déguster son dessert : une coupe de trois glaces différentes.

« Glace, crème caramel ou flan ? » La bretelle noire du soutien-gorge reprit sa place pour réapparaître tandis que la serveuse débarrassait notre table.

Régis dévora sa crème caramel avec de doux bruits de succion ravis. Puis il tendit la main vers la glace qu'il avait commandée pour moi. Je ne serais jamais un routier. Je n'avais pas la capacité.

Il était encore tôt, même pas deux heures, et la salle commençait à se vider. On réglait les additions : de gros doigts ouvraient de délicats petits porte-monnaie pour en extraire des billets soigneusement pliés. La serveuse sautillait, souriait et tirait sur sa bretelle de soutien-gorge en rapportant la monnaie et en souhaitant bonne route aux hommes.

Nous prîmes un double café, noir et bouillant sous son écume de bulles brunes, et du calvados dans de petits verres ronds. Régis pencha le sien jusqu'au moment où son rebord arrondi toucha la table et où la liqueur dorée affleura précisément le bord : la façon d'antan, expliqua-t-il, de juger d'une bonne mesure.

L'addition pour nous deux s'élevait à 140 francs. Comme notre déjeuner chez Hiély, nous en avions pour notre argent : je n'avais qu'un regret quand nous sortîmes et que je sentis le coup de marteau du soleil. Si j'avais apporté une serviette, j'aurais pu prendre une douche.

« Bah ! fit Régis, ça me fera jusqu'à ce soir. » Nous échangeâmes une poignée de main et il me menaça d'une bouillabaisse à Marseille lors de notre prochaine sortie éducative.

Je retournai au bar prendre un autre café et voir si je pouvais louer une serviette.

10

*Croquis de l'exposition
canine de Ménerbes*

Le stade de Ménerbes, un champ plat au milieu des vignes, sert généralement de cadre à des rencontres bruyantes et enthousiastes au cours desquelles l'équipe de football du village est opposée à des adversaires de la région. Il peut y avoir jusqu'à une douzaine de voitures garées sous les pins. Les supporters partagent leur attention entre la partie et leurs copieux pique-niques.

Un jour par an, en général le deuxième dimanche de juin, le stade est transformé. On tend des banderoles rouge et jaune aux couleurs de la Provence en travers du sentier de la forêt. On déblaie un creux envahi de broussailles pour agrandir le parking. On dresse un écran de cannisses sur le bord de la route pour empêcher les passants de suivre les événements sans payer leurs 15 francs de droit d'entrée. Car il s'agit après tout d'un grand événement local, qui tient à la fois des expositions du Palais des Congrès et des courses à Longchamp, la *Foire aux Chiens de Ménerbes*.

Les choses cette année commencèrent tôt et bruyamment. Peu après sept heures, nous ouvrions portes et volets en savourant l'unique jour de la semaine où le tracteur de nos voisins fait la grasse matinée. Les oiseaux chantaient, le soleil brillait, la vallée était silencieuse. La paix, une paix parfaite. Et puis, à moins d'un kilomètre de là, de l'autre côté de la colline, l'*animateur* commença ses essais de haut-parleur par un hurlement électronique qui ricocha dans les montagnes en réveillant sans doute la moitié du Luberon.

« *Allô allô, un deux trois, bonjour Ménerbes!* » Il s'interrompit pour s'éclaircir la voix. On aurait dit une avalanche. « *Bon, fit-il. Ça marche.* » Il baissa d'un cran le volume et se brancha sur Radio Monte-Carlo. Plus question d'un matin tranquille.

Nous avions décidé d'attendre l'après-midi avant de nous rendre à l'exposition. Les premières ardeurs seraient alors calmées, on aurait éliminé bâtards et chiens au comportement douteux, tout le monde aurait fait un bon déjeuner et les plus fins nez parmi les concurrents seraient prêts à s'affronter dans les épreuves sur le terrain.

Sur le coup de midi, le haut-parleur se tut : le chœur d'aboiements qui faisait office de fond sonore se réduisit de temps en temps à la sérénade plaintive d'un chien de chasse exprimant son ennui ou un amour non payé de retour. À cela près la vallée était silencieuse. Deux heures durant, les chiens et tout le reste cédèrent la place aux estomacs.

« *Tout le monde a bien mangé?* » rugit le haut-parleur. Le microphone amplifia un rot mal réprimé. « *Bon. Alors, on commence.* » Nous nous engageâmes sur le chemin qui mène au stade.

Une clairière ombragée au-dessus du parking avait été envahie par une petite élite : des marchands qui vendaient des spécimens de races spéciales ou des hybrides, des chiens dotés de talents particuliers et précieux, traqueurs de sanglier, chasseurs de lapin, détecteurs de cailles et de bécasses. Ils étaient enchaînés comme un vivant collier au pied des arbres, s'agitant parfois dans leur sommeil. Leurs maîtres avaient l'air de romanichels. Des hommes bruns et minces avec des dents en or qui étincelaient derrière d'épaisses moustaches noires.

L'un d'eux vit ma femme admirer un animal noir et feu qui se grattait nonchalamment l'oreille avec sa grosse patte arrière. « Il est beau, hein ? » dit le propriétaire, faisant briller pour nous ses dents en or. Il se pencha et saisit une poignée de peau flasque derrière la tête du chien. « Il a son sac à main personnel. Vous pouvez l'emporter chez vous. » Le chien leva les yeux, résigné à l'idée d'être venu au monde avec une robe de plusieurs tailles trop grande, et s'immobilisa en plein grattage. Ma femme secoua la tête. « Nous avons déjà trois chiens. » L'homme haussa les épaules et laissa la peau de l'animal retomber en plis épais. « Trois, quatre, qu'est-ce que ça change ? »

Un peu plus loin, la présentation des vendeurs était plus raffinée. Sur une niche faite en contre-plaqué et en grillage, un panneau annonçait en gros caractères : *FOX-TERRIER, IMBATTABLE AUX LAPINS ET AUX TRUFFES. UN VRAI CHAMPION.* Le champion, une petite bête trapue, marron et blanc, ronflait sur le dos, ses quatre courtes pattes brandies en l'air. Nous ralentîmes à peine, mais c'était suffisant pour le propriétaire. « Il est beau, hein ? » Il éveilla le chien et le sortit de sa niche. « Regardez ! » Il posa le chien sur le sol et prit une tranche de saucisson sur l'assiette en fer-blanc posée à côté de la bouteille de vin vide sur le capot de sa camionnette.

« C'est extraordinaire, dit-il. Quand ces chiens-là mangent, rien ne les distraira. Ils deviennent rigides. Vous appuyez sur l'arrière de la tête et les pattes arrière vont s'élever en l'air. » Il posa la rondelle de saucisson par terre, la recouvrit de feuilles et laissa le chien la déterrer. Puis il posa son pied sur la nuque du chien et appuya. Le chien grogna et le mordit à la cheville. Nous poursuivîmes notre chemin.

Dans le stade, on se remettait du déjeuner : une petite table pliante disposée sous les arbres était encore jonchée de reliefs de nourriture et de verres vides. Un épagneul avait réussi à sauter sur l'une des tables : il l'avait entièrement débarrassée et dormait, le museau dans une assiette. Les spectateurs évoluaient avec la lenteur que donne un ventre plein par une chaude journée, se curant les dents tout en examinant ce que proposait le trafiquant d'armes local.

Sur une longue table à tréteaux, trente ou quarante fusils étaient soigneusement alignés, et parmi eux la toute dernière nouveauté qui suscitait beaucoup d'intérêt. C'était un fusil à pompe à canon court noir mat. S'il devait jamais y avoir un soulèvement en masse de lapins tueurs assoiffés de sang dans la forêt, c'était à n'en pas douter l'engin qu'il fallait pour les mater. D'autres articles nous intriguaient. Que pourrait bien faire un chasseur d'un coup de poing américain en cuivre et d'étoiles en acier aiguisé comme en utilisent, à en croire une carte manuscrite, les *ninja* japonais ? C'était une sélection qui offrait un vif contraste avec les os en caoutchouc et les jouets couinants qui sont en vente dans les expositions canines en Angleterre.

Quand chiens et maîtres sont ainsi rassemblés, il est toujours possible de découvrir la preuve vivante de la théorie selon laquelle ils finissent par se ressembler. Dans d'autres parties du monde, cela peut se limiter aux caractéristiques physiques : les dames et les bassets avec les mêmes bajoues, de petits hommes moustachus aux sourcils en broussailles et des scotch-terriers. D'anciens jockeys émaciés et leurs whippets. Mais, la France étant la France, il semble y avoir ici un effort délibéré pour souligner la ressemblance par la tenue vestimentaire : en choisissant des ensembles qui font du chien et de son propriétaire des accessoires coordonnés.

Il y avait manifestement deux vainqueurs au concours d'élégance de Ménerbes. Parfaitement complémentaires, et apparemment enchantés de l'attention que leur portaient des spectateurs moins soucieux de la mode. Dans la section des dames, une blonde en chemise blanche, short blanc, bottes de cow-boy blanches, avec un caniche nain blanc au bout d'une laisse blanche se frayait délicatement un chemin dans la poussière pour aller siroter un Orangina au bar, le petit doigt levé. Les dames du village, raisonnablement vêtues de jupes et de chaussures plates, la regardaient avec le même intérêt critique qu'elles réservent d'ordinaire aux morceaux de viande chez le boucher.

Parmi les concurrents mâles, on remarquait un homme trapu flanqué d'un danois qui lui arrivait à la taille. L'animal était d'un noir de jais brillant. L'homme portait un T-shirt noir qui le moulait, un jean noir encore plus collant et des bottes de cow-boy noires. Le chien avait un lourd collier en maillons de chaîne. L'homme en arborait un gros comme une petite haussière, avec un médaillon qui à chaque pas venait frapper son sternum. Il avait un bracelet assorti. Par je ne sais quelle négligence, le danois n'avait pas de bracelet mais, plantés tous les deux sur un talus, ils formaient un couple viril. L'homme donnait l'impression de déployer toute sa force pour maîtriser l'énorme bête : il tirait sans cesse sur son collier en grommelant. L'animal, placide comme le sont en général les danois, ne se doutait absolument pas qu'il était censé être nerveux ou mauvais : il observait les chiens plus petits qui passaient au-dessous de lui avec un intérêt poli.

Nous nous demandions à quel moment la bonne humeur du danois allait se dissiper et quand il allait ne faire qu'une bouchée d'un des chiens minuscules qui se groupaient comme des mouches autour de ses pattes de derrière. Là-dessus, nous tombâmes sur une embuscade tendue par M. Matthieu avec ses billets de tombola. Pour une malheureuse pièce de dix francs, il nous proposait la chance de gagner des merveilles sportives et gastronomiques offertes par les commerçants locaux : un vélo tout terrain, un four à micro-ondes, un fusil de chasse ou un maxi-saucisson. Les chiots ne figuraient pas dans la liste des prix et j'en fus soulagé. M. Matthieu ricana. « On ne sait jamais ce qu'il peut y avoir dans le saucisson », dit-il. Puis voyant l'horreur se peindre sur le visage de ma femme, il lui tapota le bras. « Non, non. Je rigole. »

Il y avait en fait assez de chiots exposés pour faire une véritable montagne de saucissons. Ils étaient couchés ou se tortillaient en tas presque sous chaque arbre, sur des couvertures, dans des boîtes en carton, des niches de fabrication maison et sur de vieux chandails. C'était une rude épreuve de passer d'un amas de fourrure multi-pattes au suivant. Ma femme résiste difficilement à tout ce qui a quatre pattes et un museau humide, et les propriétaires utilisaient sans vergogne toutes leurs techniques de vente. Au moindre signe d'intérêt, ils saisissaient un chiot dans le tas et le lui jetaient dans les bras où il ne tardait pas à s'endormir. « Voilà ! Comme il est content ! » Je la sentais faiblir de minute en minute.

Nous fûmes sauvés par le haut-parleur présentant l'expert qui devait commenter les épreuves sur le terrain. Il était en tenue de chasse – casquette, chemise et pantalon kaki –, avec une voix rauque de grand fumeur. Il n'avait pas l'habitude de parler dans un micro et, en bon Provençal, il était incapable de tenir ses mains tranquilles. Ses explications nous arrivaient donc par bouffées intermittentes : il braquait complaisamment le micro vers diverses parties du terrain cependant que ses paroles s'envolaient dans la brise.

On aligna les concurrents tout au bout du champ : une demi-douzaine de pointers et deux chiens couleur de boue à l'ascendance indéchiffrable. On avait disposé au hasard sur le terrain de petits tas de broussailles. C'étaient les bosquets où devait se cacher le gibier. L'éleveur de cailles brandit ensuite devant les spectateurs une caille vivante.

Le chasseur améliora suffisamment sa technique de maniement du micro pour que nous puissions l'entendre expliquer que la caille serait attachée dans un bosquet différent pour chaque concurrent. Il ajouta qu'on ne laisserait pas les chiens la tuer à moins qu'elle ne mourût de frayeur. Les concurrents désigneraient simplement sa cachette et le plus rapide à la découvrir serait déclaré vainqueur.

On cacha la caille et on détacha le premier concurrent. Il passa devant deux tas de broussailles sans vraiment les renifler puis, à plusieurs mètres encore du troisième, se raidit et s'immobilisa.

« Ah! Ah! Il est fort, ce chien », tonna le chasseur. Distrait par le bruit, l'animal leva un instant la tête avant de poursuivre son approche. Il avançait maintenant au ralenti, posant une patte sur le sol avec mille précautions avant d'en soulever une autre, le cou et la tête tendus vers le bosquet : il ne bronchait pas malgré les commentaires admiratifs que prodiguait le chasseur sur sa concentration et la délicatesse de ses mouvements.

À moins d'un mètre de la caille pétrifiée, le chien se figea, une patte avant levée, la tête, le cou, le dos et la queue dans un alignement parfait.

« Tiens! Bravo! » dit le chasseur. Il se mit à applaudir, oubliant qu'il avait un micro dans une main. Le maître vint récupérer son chien et tous deux regagnèrent la ligne de départ à un petit trot triomphant. Le chronométreur officiel, une dame en talons hauts vêtue d'une robe noir et blanc compliquée avec des pans qui volaient au vent, inscrivit la performance du chien sur un tableau. L'éleveur de cailles se précipita pour aller installer l'oiseau dans un autre bosquet et on donna le départ au second concurrent.

Il alla droit jusqu'au bosquet récemment abandonné par la caille et s'arrêta.

« Ben oui, fit le chasseur, le fumet est encore fort.

Attendez. » Nous attendîmes. Le chien attendit. Puis il se lassa d'attendre, peut-être agacé qu'on lui eût joué un mauvais tour. Il leva la patte sur le bosquet et vint retrouver son maître.

L'éleveur de cailles alla déposer le malheureux volatile dans une nouvelle cachette : mais ce devait être un oiseau à l'odeur particulièrement forte car chacun des chiens suivants s'arrêtait à l'un ou l'autre des tas de broussailles abandonnés, la tête penchée et la patte levée d'un air hésitant avant de renoncer. Un vieil homme planté auprès de nous dans la foule donna son explication du problème. On aurait dû, affirma-t-il, conduire en laisse la caille d'un bosquet au suivant pour qu'elle laisse une piste. Comment sinon s'attendre à voir un chien la découvrir ? Les chiens ne sont pas des voyants. Le vieil homme secoua la tête et émit quelques claquements de langue désapprobateurs.

Le dernier concurrent, un des chiens couleur de boue, avait manifesté les signes d'une excitation croissante en suivant le départ de ses congénères successifs : il poussait des geignements d'impatience et tirait sur sa laisse. Quand arriva son tour, on comprit vite qu'il se méprenait sur les règles du concours. Sans se soucier de la caille ni des bosquets, il accomplit le tour du stade à toute vitesse avant de se précipiter dans les vignes, suivi par son maître qui tentait vainement de le rappeler. « Oh là là ! s'exclama le chasseur. Une locomotive ! Tant pis. »

Plus tard, alors que le soleil déclinait et que les ombres s'allongeaient, M. Dufour, président du club de chasse *Le Philosophe*, distribua les prix avant de s'attabler avec ses collègues devant une paella gargantuesque. Bien après la tombée de la nuit, nous entendions encore les échos lointains des rires, le tintement des verres et, quelque part dans les vignes, les cris de l'homme appelant son chien couleur de boue.

11

Comme la publicité dans Vogue

Peut-être parce qu'il garde des souvenirs de sa vie antérieure où il était un chien errant affamé et sans domicile, Boy saisit toutes les occasions de se rendre aussi aimable que possible dans la maison. Il apporte des cadeaux : un nid d'oiseaux tombé d'un arbre, un cep de vigne, une espadrille à moitié mâchée qu'il a mise de côté, une bouchée de broussailles rapportée de la forêt. Il les dépose alors sous la table de la salle à manger avec une générosité salissante en pensant manifestement que ces petits gestes le rendront plus cher à notre cœur. Il offre sa contribution aux travaux de la maison en laissant sur le sol des traînées de feuilles et des empreintes de pattes poussiéreuses. Il aide à la cuisine : il tient le rôle de réceptacle mobile pour toute bribe de nourriture qui peut tomber du ciel. Il n'est jamais à plus d'un ou deux mètres. Désespérément, bruyamment, maladroitement anxieux de plaire.

Nous ne sommes pas les seuls bénéficiaires de ses efforts pour charmer : il a son propre style, peu orthodoxe mais bien intentionné, pour accueillir les visiteurs à la maison. Il lâche la balle de tennis qu'il garde normalement d'un côté de son énorme gueule et vient enfouir sa tête non moins énorme dans l'entrejambe de quiconque franchit la porte. C'est sa version à lui d'une poignée de main virile : nos amis y sont habitués. Ils continuent leur conversation et Boy, ses obligations mondaines accomplies, va s'effondrer sur la paire de pieds la plus proche.

Les réactions à son accueil reflètent avec une assez grande exactitude le passage des saisons. Pendant l'hiver, nos visiteurs sont, comme nous, des gens qui vivent toute l'année dans le Luberon : on ignore ou on caresse la tête qu'il vous blottit dans l'aine. On époussette feuilles et brindilles des vieux pantalons de velours. La progression sans heurt du verre jusqu'aux lèvres continue sans interruption. Quand tout cela est remplacé par des cris de surprise, des verres renversés et de nerveuses tentatives pour écarter le museau fouineur de tenues d'un blanc impeccable, nous savons que l'été est arrivé. Et avec lui, les vacanciers.

Ils sont chaque année plus nombreux à venir chercher le soleil et les magnifiques paysages comme ils l'ont toujours fait ; mais ils sont encouragés maintenant par deux attractions plus récentes.

La première est d'ordre pratique : la Provence devient tous les ans plus accessible. On parle du T.G.V. améliorant d'une demi-heure son trajet déjà rapide de quatre heures de Paris jusqu'en Avignon. On agrandit le petit aéroport juste à la sortie de la ville : il ne tardera certainement pas à s'appeler bientôt Avignon International. On a érigé devant l'aéroport de Marseille une réplique de la statue de la Liberté pour annoncer des vols directs deux fois par semaine vers et au départ de New York.

En même temps, on a « redécouvert » la Provence : et pas seulement la Provence en général, mais les villes et les villages où nous allons faire nos courses et fouiner sur les marchés. La mode s'est abattue sur nous.

La bible des gens à la page, le *Women's Wear Daily*, qui décrète des ukases sur la bonne longueur des ourlets à New York, le tour de poitrine et le poids des boucles d'oreille, a fait son apparition l'an dernier à Saint-Rémy et dans le Luberon. On a vu des estivants ayant tout sauf la religion de la discrétion faire des purées d'aubergine, siroter leur kir, admirer leurs cyprès bien taillés, bref, savourer les plaisirs de la vie campagnarde, mais toujours accompagnés d'un photographe.

Dans le *Vogue* américain, le magazine le plus agressivement odorant avec ses encarts publicitaires imprégnés de parfum, un article sur le Luberon se glissa entre les horoscopes de Madame Athena et la dernière liste des petits bistrots de Paris. Dans le chapeau précédant l'article, on décrivait le Luberon comme « le Midi secret de la France » : un secret qui durait deux lignes avant qu'on le décrivît aussi comme la région la plus à la mode du pays. Comment concilier les deux représente une contradiction que seul un rédacteur qui sait tourner ses phrases serait capable d'expliquer.

Bien entendu, les éditeurs du *Vogue* français étaient eux aussi dans le secret. À vrai dire, ils le connaissaient depuis quelque temps, comme ils ne manquèrent pas de l'expliquer au lecteur dans l'introduction à leur article. Sur un ton élégamment las, ils commençaient par dire « le Luberon, c'est fini », suivi de quelques remarques désobligeantes laissant entendre que ce pourrait être désormais l'endroit snob, cher et résolument démodé.

Le pensaient-ils vraiment ? Non, impossible. Loin d'être « fini », le Luberon apparemment attire encore Parisiens et étrangers qui, à en croire *Vogue*, sont « souvent célèbres ». (À quelle fréquence ? Une fois par semaine ? Deux fois par semaine ? On ne le précisait pas.) On nous invitait ensuite à les rencontrer. « Entrez avec nous, disait *Vogue*, dans leur petit monde très fermé. » Adieu l'intimité.

Les douze pages suivantes étaient pleines de photographies de gens « souvent célèbres », avec leurs enfants, leurs chiens, leurs jardins, leurs amis et leurs piscines.

Une carte – un véritable *Who's Who* – montre où les membres chics de la société du Luberon s'efforcent, sans trop y parvenir, semble-t-il, de se cacher. Mais c'est impossible : ces pauvres diables ne peuvent même pas prendre un bain ni un verre sans qu'un photographe jaillisse des buissons afin de saisir cet instant pour la délectation du lecteur de *Vogue*.

Parmi les photographies d'artistes, d'écrivains, de décorateurs, d'hommes politiques et de magnats en tout genre, se trouvait le portrait d'un homme qui, précisait la légende, connaît toutes les maisons de la région et accepte trois invitations à dîner pour le même soir. Le lecteur pourrait croire que c'est là le résultat d'une enfance malheureuse ou d'un insatiable appétit pour le gigot en croûte : mais il n'en est rien. Notre homme travaille. C'est un agent immobilier. Il a besoin de savoir qui cherche, qui achète, qui vend : et il n'y a tout simplement pas assez de dîners dans une journée normale pour se tenir au courant.

C'est une activité fébrile que d'être agent immobilier dans le Luberon : surtout maintenant que la région se trouve à la mode. Les prix des propriétés ont gonflé comme un estomac après trois dîners et même durant notre brève période de résidents, nous avons assisté à des augmentations qui défient la raison ou la crédulité. On proposa à certains de nos amis une charmante vieille ruine avec la moitié d'un toit et quelques arpents de terre pour trois millions de francs. D'autres amis décidèrent de construire au lieu d'aménager et le devis les laissa une semaine en état de choc : cinq millions de francs. Une maison avec des possibilités d'aménagement dans un des villages les plus cotés ? Un million de francs.

Bien entendu, les honoraires de l'agent immobilier sont indexés sur ces prix incrustés de zéros, même si le pourcentage précis varie. On nous a mentionné des commissions allant de 3 à 8 %, tantôt versées par le vendeur, tantôt par l'acheteur.

On peut de cette manière mener une existence très confortable. Et, pour le profane, cela peut paraître une agréable façon de gagner sa vie : c'est toujours intéressant de visiter des maisons. Les acheteurs et les vendeurs sont souvent intéressants aussi (pas toujours honnêtes ou fiables, nous le verrons, mais rarement ennuyeux). Comme métier, être agent immobilier dans une attrayante partie du monde offre en théorie une façon tout à la fois stimulante et lucrative de passer le temps entre deux dîners.

Tout cela, hélas, ne va pas sans problèmes : le premier d'entre eux, c'est la concurrence. Près de six pages jaunes dans l'annuaire téléphonique du Vaucluse sont occupées par des agents immobiliers et leurs placards publicitaires. Propriétés de style, de caractère, uniques, de qualité, triées sur le volet, au charme garanti : l'homme à l'affût d'une maison n'a que l'embarras du choix même si la terminologie peut le déconcerter. Quelle différence entre « caractère » et « style » ? Faut-il rechercher quelque chose d'unique ou de trié sur le volet ? La seule façon de le savoir, c'est d'aller trouver un agent immobilier avec vos rêves et votre budget et de passer une matinée, un jour, une semaine au milieu des bastides, des mas, des maisons de charme et des demeures insensées qui sont actuellement sur le marché.

Trouver un agent immobilier dans le Luberon n'est pas plus difficile que de trouver un boucher. Autrefois, le notaire du village était l'homme qui savait si la mère Bertrand vendait sa vieille ferme ou si un décès récent avait rendu une maison disponible. Dans une large mesure, c'est l'agent immobilier qui a repris la fonction du notaire en tant que dénicheur de propriétés : presque chaque village a le sien. Ménerbes en a deux. Bonnieux, trois. Gordes, plus en vogue, en avait quatre au dernier recensement. (C'est à Gordes que nous fûmes témoins de la concurrence sauvage. Un agent déposait des prospectus sur toutes les voitures garées place du Château. Il était suivi à quelque distance par un second agent qui retirait les prospectus des pare-brise pour les remplacer par les siens. Il nous fallut malheureusement partir avant de voir si les troisième et quatrième agents rôdaient derrière un arc-boutant en attendant leur tour.

Au début, les agents sont toujours charmants et serviables : ils ont des dossiers bourrés de photographies de propriétés ravissantes, dont certaines sont en vente à des prix qui ne dépassent pas six chiffres. Il s'agit inévitablement là de celles qui viennent d'être vendues, mais il y en a d'autres : des moulins, des couvents, des bergeries délabrées, des maisons de maître grandioses, des folies à tourelles, des fermes de toutes les formes et de toutes les tailles. Quelle sélection ! Et il ne s'agit que d'un seul agent.

Mais, si d'aventure vous alliez voir un deuxième agent, ou un troisième, peut-être éprouverez-vous une certaine impression de déjà vu. Vous trouverez un air familier à nombre de ces propriétés. Les photos ont été prises sous des angles différents, mais le doute n'est pas permis : ce sont les mêmes moulins, les mêmes couvents, les mêmes fermes que vous avez vus dans le dossier précédent. Et vous vous heurtez là au deuxième problème qui gâche la vie d'un agent immobilier du Luberon : il n'y a pas assez de propriétés à la ronde.

Dans le Luberon, on distribue les permis de construire avec une certaine parcimonie : ces restrictions sont plus ou moins observées par tout le monde à l'exception des fermiers qui semblent pouvoir bâtir à leur gré. Le fonds de ce que les agents appelleraient des propriétés avec *beaucoup d'allure* se trouve donc limité. Cette situation fait ressortir l'instinct du chasseur : nombre d'agents durant les mois d'hiver, moins chargés, passent des jours à patrouiller la région en voiture, à l'affût de rumeurs ou de signes pouvant révéler qu'un joyau caché pourrait bientôt se trouver sur le marché. Si c'est le cas, et si l'agent est assez rapide et persuasif, une possibilité peut s'ouvrir d'un contrat d'exclusivité et d'une belle commission. Mais ce qui se passe en général, c'est qu'un vendeur contactera deux ou trois agents et les laissera régler le délicat problème de savoir comment partager la commission.

Nouvelles difficultés, donc : Qui a présenté le client ? Qui le premier a fait visiter la propriété ? Les agents peuvent être contraints de collaborer, mais l'esprit de compétition est à peine dissimulé et rien ne le fait ressortir plus vite qu'un petit malentendu sur le partage des dépouilles. Accusations et contre-accusations, conversations téléphoniques orageuses, remarques acérées sur un manque total de déontologie. On va même en dernier ressort jusqu'à faire appel au client pour servir d'arbitre : on a vu toutes ces déplorables complications bouleverser des liaisons qui avaient commencé sous de si heureux auspices. C'est pourquoi le *cher collègue* d'hier peut devenir l'*escroc* d'aujourd'hui. *C'est dommage*, mais...

L'agent a d'autres croix plus lourdes encore à porter : ce sont les clients, au comportement imprévisible et souvent louche. Qu'est-ce donc qui transforme en requin le vairon apparemment respectable et digne de confiance ? De toute évidence, l'argent y est pour beaucoup. Mais il y a aussi la détermination de faire une affaire, de marchander jusqu'à la dernière minute et jusqu'à la dernière ampoule électrique. Ce n'est pas tant une question de francs et de centimes que l'envie de gagner, de se montrer plus fort dans la négociation que la partie adverse. Et l'agent est coincé au milieu.

Les discussions à propos du prix se déroulent sans doute de la même façon à travers le monde : mais dans le Luberon une complication locale supplémentaire inter-

vient pour troubler davantage les eaux de la négociation.
Le plus souvent, les acheteurs potentiels sont des Parisiens
ou des étrangers, alors que les vendeurs sont des paysans
du coin. Il y a une différence considérable dans l'attitude
des uns et des autres quand il s'agit de discussions
d'affaires : cela peut imposer à tous les participants de la
transaction des semaines ou des mois d'exaspération.

Le paysan a du mal à dire oui. Si l'on accepte sans
barguigner le prix qu'il a demandé pour le vieux mas de
sa grand-mère, il a l'horrible soupçon d'avoir sous-évalué
la propriété. Cela le chagrinerait pour le restant de ses
jours et sa femme le harcèlerait sans fin en lui citant le
prix plus élevé obtenu par un voisin pour le vieux mas de
sa grand-mère à lui. Alors, juste au moment où les acheteurs croient avoir acheté, le vendeur est pris de scru-
pules : il va falloir faire quelques ajustements. Le paysan
organise un rendez-vous avec l'agent pour éclaircir certains détails.

Il explique à l'agent qu'il a peut-être négligé de dire
qu'un champ jouxtant la maison – ce champ précisément,
voyez-vous ce qu'est le hasard, avec le puits dans le coin et
un bon approvisionnement en eau – n'est pas compris
dans le prix. Ça n'est pas grand-chose, mais il s'est dit
qu'il vaudrait mieux le préciser.

Consternation des acheteurs. Le champ était *incontes-
tablement* compris dans le prix. En fait, c'est le seul
endroit possible de la propriété assez plat pour construire
le court de tennis. On fait part de leur désarroi au paysan
qui hausse les épaules. Qu'est-ce qu'il a à faire d'un court
de tennis ? Néanmoins, c'est un homme raisonnable. Il
s'agit d'un champ fertile et précieux. Il serait navré de se
séparer d'un tel trésor, mais il pourrait être prêt à écouter
une offre.

Les acheteurs sont d'ordinaire impatients et ont peu de
temps. Ils travaillent à Paris, à Zurich ou à Londres : ils

ne peuvent pas descendre toutes les cinq minutes dans le Luberon pour visiter des maisons. Le paysan, lui, n'est jamais pressé. Il ne va nulle part. S'il ne vend pas la propriété cette année, il augmentera le prix et la vendra l'année prochaine.

Les discussions reprennent : l'irritation de l'agent et des acheteurs va croissant. Mais, une fois l'affaire finalement conclue, comme c'est en général le cas, les nouveaux propriétaires s'efforcent de chasser tout ressentiment. Il s'agit après tout d'une magnifique propriété, d'une *maison de rêve* : pour fêter cette acquisition, ils décident d'y aller pique-niquer et de passer la journée à errer dans les pièces en prévoyant les travaux à faire.

Il y a pourtant un détail qui cloche. La magnifique baignoire de fonte à pieds de griffon a disparu de la salle de bains. Les acheteurs appellent l'agent. L'agent appelle le paysan. Où est passée la baignoire ?

La baignoire ? La baignoire de sa sainte grand-mère ? Cette baignoire qui fait partie du patrimoine familial ? Personne assurément n'irait penser qu'un objet rare ayant une telle valeur sentimentale pourrait être compris dans la vente d'une maison ? Pourtant, c'est un homme raisonnable, peut-être pourrait-on le persuader d'envisager une offre.

Ce sont des incidents comme celui-là qui ont amené les acheteurs à avancer prudemment sur le chemin qui mène à l'acte de vente, au moment où la maison sera officiellement la leur : ils se comportent parfois avec la prudence d'un avocat prêt à donner son avis. On dresse des inventaires des volets, des heurtoirs, des éviers, du bois dans le bûcher, des carreaux sur le sol et des arbres du jardin. Il suffit d'un exemple d'extraordinaire méfiance pour que même des inventaires multiples soient considérés comme une protection insuffisante contre une chicanerie de dernière minute.

C'est ainsi que, redoutant le pire, un acheteur avait engagé les services d'un huissier local. Celui-ci avait pour tâche de vérifier, au-delà de l'ombre du moindre doute juridique, que le vendeur laissait les supports à papier hygiénique. On imagine les deux personnages, vendeur et huissier, entassés dans l'espace réduit des toilettes pour mener à bien les formalités. « Levez la main droite et répétez après moi : Je jure solennellement de laisser intactes et en état de fonctionnement les installations ci-dessous décrites... » On est au bord du vertige.

Malgré cela et cent autres anicroches, les propriétés continuent à se vendre à des prix qui auraient été inconcevables voilà dix ans. J'ai récemment entendu un agent proclamer avec enthousiasme que la Provence était « la Californie de l'Europe », non seulement à cause du climat mais à cause aussi d'un élément indéfinissable et pourtant irrésistible inventé à l'origine en Californie : le style de vie.

Le style de vie, à ma connaissance, consiste à transformer une communauté rurale en une sorte de camp de vacances sophistiqué avec autant de commodités urbaines que possible et, s'il reste un peu de terrain, un golf. Si pareille chose s'était passée dans notre coin de Provence, je ne l'avais pas remarqué : je demandai donc à l'agent où je devrais aller pour voir un exemple de ce qu'il évoquait. Quel était le centre le plus proche où l'on pratiquait ce fameux style de vie ?

Il me regarda comme si j'étais resté caché dans un recoin oublié du temps. « Vous n'êtes pas allé à Gordes récemment ? » demanda-t-il.

Nous avions visité Gordes pour la première fois seize ans auparavant et, dans une région de magnifiques villages, c'était celui dont la beauté était la plus spectaculaire. Couleur de miel et juché au sommet d'une colline, avec une immense vue sur la plaine jusqu'au Luberon, c'était ce que les agents immobiliers appelaient un bijou, une image de carte postale qui aurait pris vie. Il y avait un château Renaissance, des ruelles étroites aux pavés rectangulaires et les modestes agréments d'un village encore intact : une boucherie, une boulangerie, un hôtel simple, un café miteux et un bureau de poste tenu par un homme recruté, nous en étions certains, pour sa mauvaise humeur sans défaillance.

La campagne derrière le village, toujours verte grâce à ses chênes-lièges et à ses pins, était sillonnée d'étroits chemins bordés de murs en pierre sèche. On pouvait marcher pendant des heures sans sentir la présence d'aucune maison sinon un vieux toit de tuiles qu'on apercevait de temps en temps au milieu des arbres. La construction, nous dit-on, était si sévèrement réglementée qu'elle était pratiquement interdite.

C'était il y a seize ans. Aujourd'hui, Gordes est encore beau – en tout cas, de loin. Mais quand on arrive au pied de la route qui monte au village, on est accueilli par un véritable espalier de panneaux, chaque échelon vantant les mérites d'un hôtel, d'un restaurant, d'un salon de thé : tout ce qui peut réconforter et attirer le visiteur est ainsi présenté, à l'exception des toilettes publiques. À intervalles réguliers le long de la route se trouvent des reproductions de réverbères du dix-neuvième siècle qui ont un air hérissé et incongru devant les murs de pierre patinés des maisons. Dans le virage d'où l'on aperçoit le village, il y a toujours au moins une voiture arrêtée pour permettre au conducteur et à ses passagers de prendre des photos. Au dernier tournant avant le village, on a installé une grande surface goudronnée pour faire office de parking. Si vous décidez de ne pas en tenir compte et de continuer jusqu'au village, il vous faudra probablement faire demi-tour. La place du Château, aujourd'hui aussi recouverte d'asphalte, est en général bourrée de voitures venues de toute l'Europe.

Le vieil hôtel est toujours là : mais il a comme voisin immédiat un nouvel établissement. Quelques mètres plus loin, une pancarte annonce : *Sidney Food, Spécialiste en Module Fast Food.* Ensuite il y a une boutique *Souleiado.* Puis le café, jadis miteux, aujourd'hui tout pimpant. D'ailleurs tout est devenu pimpant : le vieux bougon du bureau de poste a pris sa retraite, on a agrandi les toilettes publiques et le village est devenu un endroit pour les visiteurs plutôt que pour ses habitants. On peut acheter des T-shirts officiels de Gordes pour prouver que l'on est venu.

Un kilomètre environ plus loin sur la route a été installé un autre hôtel, protégé des regards du public par des murs et équipé d'une aire d'atterrissage pour hélicoptères. On a trouvé quelques accommodements avec les permis de construire dans la garrigue : un énorme panneau, avec sous-titrage en anglais, annonce des villas de luxe avec portillon électrique et salles de bains entièrement équipées à partir de deux millions cinq cent mille francs.

Pour l'instant rien n'indique où les gens « souvent célèbres » de *Vogue* ont leurs maisons de campagne : les passagers du long cortège d'autocars en route vers l'abbaye de Sénanque en sont réduits à se demander à qui appartient la maison à demi dissimulée qu'ils regardent. Un jour, quelque esprit entreprenant, un homme qui voit loin, produira une carte analogue à ces guides de Hollywood décrivant les maisons des stars : alors nous nous sentirons encore plus proches de la Californie. En attendant, jacuzzis et adeptes du jogging ne sont plus assez exotiques pour attirer l'attention. Les collines retentissent du claquement des balles de tennis et du bourdonnement monotone des bétonneuses.

C'est un phénomène qu'on a souvent observé dans bien d'autres parties du monde. Les gens sont attirés par une région à cause de sa beauté et du calme qu'elle promet : et puis ils la transforment en une banlieue à loyers exorbitants, avec cocktails, systèmes d'alarme, véhicules de loisirs à quatre roues motrices et aux autres accessoires essentiels de la vie *rustique*.

Je ne pense pas que cela gêne les indigènes. Pourquoi en seraient-ils incommodés ? Des bouts de terrain dénudés qui ne pouvaient pas faire vivre un troupeau de chèvres valent soudain des millions de francs. Boutiques, restaurants et hôtels prospèrent. Les maçons, les charpentiers, les jardiniers paysagistes, les installateurs de courts de tennis ont des carnets de commandes gonflés et tout le monde tire profit du boom. Cela rapporte plus de cultiver le tourisme que la vigne.

Le phénomène n'a pas encore trop affecté Ménerbes ; du moins pas de façon visible. Le *Café du Progrès* est toujours égal à lui-même. Le petit restaurant qui a ouvert voilà deux ans est fermé et, à part une élégante agence immobilière, le centre du village reste à peu près le même que quand nous l'avons vu pour la première fois quelques années auparavant.

Mais on sent le changement dans l'air. Ménerbes s'est octroyé un panneau : *Un des plus beaux villages de France*, et un certain nombre d'habitants semblent avoir soudain pris conscience de l'existence des médias.

Ma femme est tombée sur trois vénérables dames assises en rang d'oignons sur un mur de pierre, leurs trois chiens assis en rang devant elles. Cela faisait un charmant tableau et ma femme demanda si elle pouvait prendre une photo.

L'aînée des vieilles dames la regarda un moment d'un air songeur.

« C'est pour quel journal ? » demanda-t-elle. Manifestement *Vogue* était passé là le premier.

12

*Périodes de sécheresse
prolongée
avec risques d'incendie*

Comme certains de nos voisins agriculteurs de la vallée, nous sommes abonnés à un service assuré par la station météorologique de Carpentras. Deux fois par semaine, nous recevons des prévisions détaillées sur le temps qu'il va faire, imprimées sur des feuilles ronéotypées. Elles indiquent en général avec beaucoup d'exactitude notre ration de soleil et de pluie, les probabilités d'orage et de mistral et les températures dans tout le Vaucluse. Dès les premières semaines de 1989, les prévisions et les statistiques commencèrent à montrer de façon inquiétante que le temps n'était pas ce qu'il aurait dû être. Pas assez de pluie, vraiment pas assez.

L'hiver précédent avait été doux : il avait si peu neigé dans les montagnes que les torrents du printemps se réduiraient à des filets d'eau. L'hiver avait aussi été sec. Il était tombé en janvier 9,5 millimètres de pluie : la normale se situe au-dessus de 60 millimètres. Faibles pluies encore en février. Même chose en mars. On appliqua très tôt les réglementations d'été sur le feu : ne rien faire brûler dans les champs. Le printemps traditionnellement pluvieux dans le Vaucluse fut simplement humide et le début de l'été ne le fut même pas. En mai il ne tomba à Cavaillon qu'un millimètre de pluie alors que la moyenne est de 54,6 millimètres. 7 millimètres en juin contre une moyenne de 44. Les puits étaient à sec et le niveau de l'eau à la Fontaine de Vaucluse avait fortement baissé. La sécheresse dans le Luberon est toujours suspendue au-dessus des fermiers comme une épée de Damoclès. Dans les champs et dans les rues des villages, on échange de sombres propos tandis que les récoltes rôtissent et que la terre devient sèche et friable. Et puis il y toujours le risque du feu. Terrible à envisager mais impossible à oublier.

Il suffit d'une étincelle dans la forêt, un mégot qu'on laisse tomber sans y penser, une allumette mal éteinte : le mistral fera le reste, transformant une flammèche en brasier puis en un jaillissement de flammes qui se précipitent parmi les arbres plus vite qu'un homme qui court. On nous avait parlé d'un jeune pompier mort au printemps, près de Murs. Il affrontait les flammes quand une étincelle apportée par le vent, provenant peut-être d'une pomme de pin qui avait explosé en fragments brûlants, avait atteint les arbres derrière lui, le prenant à revers. Ça s'était passé en quelques secondes. C'est déjà assez tragique quand le feu a une cause accidentelle, mais c'est écœurant quand elle est délibérée. C'est hélas souvent le cas. La sécheresse attire les pyromanes et ils n'auraient guère pu espérer des conditions plus favorables que l'été 1989. Au printemps, on avait surpris un homme en train de mettre le feu à la garrigue. Il était jeune. Il voulait être pompier, mais on avait refusé sa candidature. Il se vengeait avec une boîte d'allumettes. La première fois que nous vîmes la fumée, ce fut le soir brûlant et venteux du 14 juillet. Le ciel au-dessus de nous était sans nuage, de ce bleu éclatant qu'apporte souvent le mistral. Il faisait ressortir la tache noire qui s'étalait au-dessus de Roussillon, à quelques kilomètres de l'autre côté de la vallée. Nous l'observions depuis le sentier qui passe au-dessus de la maison quand nous entendîmes le bourdonnement des moteurs : un groupe d'avions Canadair passait à basse altitude au-dessus du Luberon, transportant leur cargaison d'eau. Puis des hélicoptères, les bombardiers d'eau. De Bonnieux arriva le hurlement insistant et inquiétant d'une sirène d'incendie : nous regardâmes tous deux nerveusement derrière nous. Moins de cent mètres séparent notre maison de la ligne des arbres. Cent mètres, ce n'est rien pour un feu bien alimenté poussé par un vent qui souffle en bourrasques.

Ce soir-là, les Canadairs blancs et au ventre chargé ne cessèrent de faire la navette entre le feu et la mer : il nous fallut envisager la possibilité que le prochain secteur de forêt à s'enflammer pourrait être plus proche de chez nous. Les pompiers qui étaient venus nous offrir leur calendrier annuel nous avaient dit ce que nous étions censés faire : couper l'électricité, fermer les volets de bois, les arroser, rester dans la maison. Nous avions suggéré en plaisantant que nous pourrions nous réfugier dans la cave avec des verres et un tire-bouchon. Mieux vaut être grillé ivre qu'à jeun. La plaisanterie ne nous faisait plus rire.

Mais à la tombée de la nuit, le vent cessa de souffler et la lueur au-dessus de Roussillon aurait pu n'être que celle des projecteurs éclairant le terrain de boules du village. Avant de nous coucher, nous écoutâmes les prévisions météo. Elles n'étaient pas bonnes : *Beau temps très chaud et ensoleillé, mistral fort.*

Le Provençal du lendemain donnait des détails sur l'incendie de Roussillon. Il avait détruit plus de quarante hectares de bois de pins entourant le village avant que quatre cents pompiers, dix Canadairs et les soldats du feu de l'Armée ne réussissent à le maîtriser. Des photos montraient des chevaux et un troupeau de chèvres qu'on emmenait à l'abri et un pompier solitaire dont la silhouette se découpait sur un mur de flammes. Le même article signalait trois feux de moindre importance. Tout cela aurait sans doute pu faire la première page : mais le Tour de France arrivait à Marseille.

Quelques jours plus tard, nous prîmes la voiture pour aller à Roussillon. Ce qui était jadis bois de pins verts et magnifiques était maintenant un paysage désolé de souches calcinées émergeant comme des dents gâtées de la terre ocre des collines. Par miracle, quelques maisons semblaient intactes malgré la dévastation qui les entourait. Nous nous demandions si les propriétaires étaient restés à l'intérieur ou s'ils s'étaient enfuis. Nous cherchions à imaginer ce que ç'avait dû être que de ne pas sortir d'une maison sombre en écoutant le feu se rapprocher, en sentant sa chaleur à travers les murs.

En juillet, il tomba 5 millimètres de pluie, mais les Sages du café nous annoncèrent que les orages d'août allaient arroser le Luberon et permettre aux pompiers de souffler un peu. Toujours, nous affirma-t-on, le 15 août amenait de fortes pluies, chassant les campeurs de leurs tentes et inondant les routes, détrempant la forêt et, avec un peu de chance, noyant les pyromanes.

Jour après jour, nous attendîmes la pluie. Jour après jour, nous ne vîmes que le soleil. La lavande que nous avions plantée au printemps mourut. Le carré d'herbe devant la maison renonça à toute ambition de devenir une pelouse pour se transformer en une triste paillasse d'un jaune sale. La terre se recroquevillait, révélant ses os et ses jointures : des roches et des racines invisibles jusque-là. Les heureux paysans qui avaient de puissants systèmes d'irrigation se mirent à arroser leurs vignobles. Nos vignes dépérissaient. Amédée, dans ses tournées d'inspection du vignoble, dépérissait aussi. La piscine était chaude comme de la soupe, mais au moins elle était mouillée. Un soir, l'odeur de l'eau attira une horde de sangliers. Onze d'entre eux sortirent de la forêt pour s'arrêter à cinquante mètres de la maison. Il y en eut même un qui profita de cette halte pour monter sa compagne : Boy, faisant montre d'une bravoure inhabituelle, se précipita en dansant vers l'heureux couple, ses aboiements atteignant au soprano dans son excitation. Toujours unis comme des concurrents dans une course de brouettes, ils le firent déguerpir : il revint jusqu'à la porte de la cour où il pouvait sans risque être bruyant et brave. Les sangliers renoncèrent à leur baignade et s'éloignèrent à travers les vignes pour dévorer les melons de Jacky dans le champ de l'autre côté du chemin.

Le 15 août fut aussi sec que l'avait été la première moitié du mois. Chaque fois que le mistral se mettait à souffler, nous nous attendions à entendre les sirènes et les Canadairs. Un pyromane avait bel et bien téléphoné aux pompiers en leur promettant un autre feu dès qu'il y aurait assez de vent : chaque jour des hélicoptères patrouillaient au-dessus de la vallée.

Ils ne le virent pourtant pas quand il récidiva, cette fois près de Cabrières. Des cendres apportées par le vent tombèrent dans la cour et la fumée vint masquer le soleil. L'odeur énerva les chiens qui arpentaient la cour en geignant et en aboyant aux rafales de vent. Le ciel du soir rouge et rose était caché par un voile gris vaguement lumineux, sinistre et redoutable.

Ce soir-là, nous eûmes la visite d'une amie qui séjournait à Cabrières. On avait évacué quelques maisons à la lisière du village. Elle avait pris son passeport avec elle et une culotte de rechange.

Après cela, nous ne vîmes pas d'autres feux : pourtant le pyromane avait donné d'autres coups de fil menaçant toujours le Luberon. Août se termina. Dans notre région, les précipitations étaient de zéro alors que la moyenne était de 52 millimètres. Quand une averse arriva en septembre, nous restâmes sous la pluie pour aspirer à grandes goulées l'air humide et rafraîchissant. Pour la première fois depuis des semaines, une odeur fraîche venait de la forêt.

Le danger immédiat du feu passé, les habitants du

pays se sentirent suffisamment soulagés pour se plaindre des effets de la sécheresse sur leur estomac. À l'exception des vendanges qui, à Châteauneuf, s'annonçaient comme spectaculairement bonnes, les nouvelles étaient désastreuses sur le front de la gastronomie. Le manque de pluie en juillet signifierait une misérable récolte de truffes en hiver : peu nombreuses et petites. Les chasseurs en seraient réduits à se tirer les uns les autres : le gibier qui avait quitté le Luberon desséché pour aller chercher de l'eau plus au nord ne risquait pas de revenir. À table, l'automne ne serait pas le même : il ne serait *pas du tout normal*.

Notre éducation en pâtit. M. Colombani, qui comptait parmi ses nombreux talents le don de déceler et d'identifier les champignons sauvages dans la forêt, avait promis de nous emmener en expédition : des kilos de champignons, assurait-il, seraient là, prêts à être cueillis. Il nous montrerait comment faire et superviserait ensuite les travaux dans la cuisine, assisté d'une bouteille de cairanne.

Mais octobre arriva et il fallut annuler la cueillette des champignons. Pour la première fois dans les souvenirs de Colombani, la forêt était nue. Il arriva un matin à la maison, équipé de pied en cap avec couteau, bâton et panier, bottes à l'épreuve des serpents soigneusement lacées : il passa en vain toute une heure à fouiller parmi les arbres avant de renoncer. Il nous faudrait faire une nouvelle tentative l'an prochain. Madame son épouse serait déçue, tout comme le chat de son ami, grand amateur de champignons sauvages.

Un chat ?

« Hé oui, mais un chat au nez extraordinaire, capable de repérer les champignons vénéneux ou mortels. La nature est pleine de mystères et de merveilles, déclara Colombani, et souvent on ne peut leur trouver d'explication scientifique. »

Je demandai ce que le chat faisait des champignons comestibles. « Il les mange, répondit Colombani, mais pas crus. Il faut les lui cuire à l'huile d'olive et les saupoudrer de persil haché. C'est son point faible, et il en a le droit peuchère ! »

La forêt fut officiellement reconnue comme une boîte d'allumettes prête à s'enflammer au mois de novembre, quand elle fut envahie par l'Office national des Forêts. Par un matin sombre et couvert, j'étais à trois kilomètres environ de la maison quand je vis un panache de fumée et que j'entendis le crissement des débroussailleuses. Dans une clairière au bout du chemin, des camions militaires étaient garés auprès d'une énorme machine jaune haute peut-être de trois mètres : un croisement entre un bulldozer et un tracteur géant. Des hommes en combinaison olive évoluaient parmi les arbres, l'air sinistre avec leurs casques et leurs grosses lunettes protectrices. Ils taillaient les broussailles et les jetaient dans le brasier où sifflait la sève bouillonnante du bois vert.

Un officier au visage dur et émacié me regarda comme si j'étais en contravention et me fit à peine un signe de tête quand je dis bonjour. Je pouvais l'entendre penser : « Qu'est-ce qu'il fout là ce pékin, étranger par-dessus le marché. »

Je tournai les talons pour rentrer chez moi mais je m'arrêtai pour examiner le monstre jaune. Le conducteur était un civil comme moi, à en juger par son blouson de cuir craquelé et sa casquette à carreaux qui n'avait rien de réglementaire. Il essayait en fumant de desserrer un écrou coincé. Il reposa sa clé à molette pour prendre un marteau, l'instrument provençal multi-fonctions pour tout équipement mécanique récalcitrant : assurément, ce n'était pas un militaire. Je risquai un autre bonjour qui, cette fois, fut accueilli plus aimablement. On aurait dit le frère cadet du Père Noël : sans la barbe, mais avec des joues rondes et colorées, des yeux vifs et une moustache mouchetée de la sciure de bois qui soufflait dans le vent. Il brandit son marteau en direction du groupe d'extermination qui opérait sous les arbres. « C'est comme la guerre, hein ? » Dans le plus pur style militaire, il appelait cela *opération débroussaillage.* Sur vingt mètres de chaque côté, le chemin qui menait à Ménerbes devait être débarrassé des buissons et éclairci pour réduire les risques d'incendie. Il avait pour mission de suivre les hommes à bord de son engin et de déchiqueter tout ce qu'ils n'avaient pas brûlé. Du plat de la main, il donna un grand coup sur le flanc jaune : « Cette machine-là, il ne faut pas lui en promettre, ça vous dévore un tronc d'arbre pour recracher des brindilles. »

Il fallut toute une semaine aux hommes pour couvrir la distance jusqu'à la maison. Ils laissèrent la lisière de la forêt cisaillée et les clairières maculées de flaques de cendres. Et sur leurs talons, mâchonnant et recrachant chaque jour une centaine de mètres de taillis, arrivait le monstre jaune à l'appétit insatiable.

Le conducteur vint nous voir un soir : il nous demanda un verre d'eau et nous n'eûmes aucun mal à le persuader d'accepter plutôt un verre de pastis. Il s'excusa de s'être garé en haut du jardin. Le stationnement, expliqua-t-il, était un problème quotidien : avec une vitesse de pointe de dix kilomètres à l'heure, il ne pouvait guère ramener chaque soir à Apt ce qu'il décrivit comme son petit joujou.

Pour le second verre de pastis, il ôta sa casquette. C'était agréable d'avoir quelqu'un à qui parler, déclara-t-il, après une journée tout seul sans rien entendre que le fracas de son engin. Mais c'était un travail nécessaire. On avait trop longtemps laissé la forêt sans l'entretenir. Elle étouffait sous le bois mort et, s'il y avait une nouvelle sécheresse l'an prochain... *pof!* ça repartirait.

Nous lui demandâmes si on avait fini par arrêter le pyromane : il secoua la tête. Le dingue au briquet, comme il l'appelait, courait toujours. Espérons que l'année prochaine il ira passer ses vacances dans les Cévennes.

Le conducteur du monstre jaune revint le lendemain soir. Il nous apporta un camembert et nous expliqua comment le faire cuire : comme il le faisait quand il était dans la forêt en hiver et qu'il avait besoin de se réchauffer.

« Vous faites un feu, commença-t-il en disposant sur la table devant lui des branchages imaginaires. Vous sortez le fromage de sa boîte et vous ôtez le papier. Ensuite vous le remettez dans sa boîte, d'accord ? » Pour s'assurer que nous avions bien compris, il brandit le camembert et tapota son mince emballage de bois.

« Bon. Maintenant vous mettez la boîte dans les braises du feu. La boîte brûle. La croûte du fromage noircit. La pâte fond mais » – il leva un doigt pour souligner son propos – « il est enfermé dans sa croûte. Il ne peut pas couler dans le feu. » Une rasade de pastis. Du revers de la main il s'essuya la moustache.

« Alors, vous prenez votre baguette et vous la fendez sur toute sa longueur. Maintenant, attention aux doigts. Vous retirez le fromage du feu, vous faites un trou dans la croûte et vous versez le fromage fondu sur le pain. Et voilà ! »

Il eut un grand sourire qui plissa ses joues rouges sous ses yeux et il se tapota l'estomac. Nous le savions désormais, tôt ou tard en Provence toute conversation s'oriente vers les nourritures terrestres. Nous nous en réjouissions, notre éducation dans ce domaine progressant à pas de géant.

Au début de 1990, on nous envoya les statistiques météo pour l'année précédente. Malgré un novembre anormalement humide, nos précipitations annuelles n'arrivaient pas à la moitié de la quantité normale.

Il y a encore eu un hiver doux. Le niveau de l'eau reste inférieur à ce qu'il devrait être. On estime que jusqu'à 30 pour 100 des taillis de la forêt sont morts, donc secs. Le premier grand incendie de l'été a détruit près de 2 500 hectares à proximité de Marseille, coupant l'autoroute en deux endroits. Le fou au briquet court toujours : sans doute, comme nous, s'intéresse-t-il vivement aux prévisions météorologiques.

Nous avons acheté un solide coffret métallique pour abriter tous les documents – passeports, attestations, actes de naissance, contrats, permis, vieilles notes d'électricité – qui sont essentiels en France pour prouver votre existence. Perdre la maison dans un incendie serait un désastre : mais perdre nos identités en même temps nous rendrait la vie impossible. Le coffret métallique est enfoui dans le recoin le plus profond de la cave, juste à côté du châteauneuf.

Chaque fois qu'il pleut, nous sommes ravis. Amédée voit là un signe prometteur : nous sommes en train de devenir de bons *Provenglais*.

13

On ne crache pas dans le châteauneuf-du-pape

Le mois d'août en Provence, c'est un moment où l'on reste chez soi : on recherche l'ombre, les gestes sont lents et on limite à de très courtes distances ses rares sorties. Les lézards le savent bien : j'aurais dû me méfier.

Il faisait dans les 25 degrés à neuf heures et demie quand je montai dans la voiture : j'eus aussitôt la sensation d'être un morceau de poulet qu'on allait faire sauter. Je consultai la carte pour trouver des routes qui me permettraient d'éviter les touristes et les chauffeurs de camion rendus fous par la chaleur. Une goutte de sueur tomba de mon nez pour atterrir tout droit sur ma destination : Châteauneuf-du-Pape, la petite ville au grand vin.

Quelques mois plus tôt, au cours de l'hiver, j'avais rencontré un nommé Michel à un dîner donné pour célébrer les fiançailles de deux de nos amis. Les premières bouteilles de vin arrivèrent. On porta des toasts. Mais je remarquai que, si le reste d'entre nous se contentait de boire, Michel se livrait à un rituel personnel extrêmement compliqué.

Avant de le lever, il fixait du regard son verre. Il le prenait au creux de sa main et le faisait doucement tourner à trois ou quatre reprises. Le portant ensuite au niveau de ses yeux, il regardait les traces de vin laissées par le mouvement de sa main pleurer sur les parois. Les

narines en alerte et frémissantes, il approchait son nez et
se livrait à une enquête approfondie. Il humait longuement. Un dernier petit mouvement tournant du poignet et
il prenait la première gorgée, mais seulement à l'essai. Les
vins devaient manifestement subir plusieurs épreuves
avant d'être autorisés à franchir le palais. Michel semblait
le mâchonner pendant quelques secondes, l'air songeur. Il
fronçait les lèvres. Il aspirait un peu d'air. Il émettait de
discrets bruits de rinçage. Levant les yeux au ciel, il creu-
sait et gonflait tour à tour ses joues pour bien faire circuler
le breuvage autour de sa langue jusqu'aux molaires. Puis,
apparemment satisfait des mérites du vin, il avalait.

Il remarqua que j'avais observé son manège et eut un
grand sourire. « Pas mal, pas mal. »

Il but une autre gorgée plus simplement, et salua le
verre d'un haussement de sourcils. « 85, c'était une bonne
année. »

Je le découvris au cours du dîner : Michel était un
négociant, un buveur de vin professionnel, un homme qui
achetait des raisins et qui vendait du nectar. Il se spéciali-
sait dans les vins du Midi, depuis le rosé de Tavel (à l'en
croire, le vin préféré de Louis XIV) en passant par les
blancs tintés d'or jusqu'aux rouges puissants de Gigondas.

Mais de tous les vins de sa vaste collection, sa *merveille*, celui qu'il aimerait boire sur son lit de mort, c'était
le châteauneuf-du-pape.

Il le décrivit comme s'il parlait d'une femme. Ses
mains caressaient l'air. Des baisers délicats venaient
effleurer le bout de ses doigts. Il était question de corps, de
bouquet et de puissance. Il n'était pas rare, précisa-t-il, de
voir un châteauneuf-du-pape atteindre 15 degrés d'alcool.
Et de nos jours, où les bordeaux semblent chaque année
plus amaigris et où le bourgogne atteint des prix que seuls
les Japonais peuvent se permettre, les vins des Châteauneuf étaient de véritables occasions. Il fallait absolument

que j'aille dans ses caves pour m'en rendre compte. Il organiserait une dégustation.

Le temps qui s'écoule en Provence entre l'éventualité d'un rendez-vous et sa réalisation peut souvent s'étendre sur des mois et parfois des années : je ne m'attendais donc pas à une invitation immédiate. L'hiver céda la place au printemps. Le printemps à l'été, et l'été s'écoula jusqu'à ce jour d'août d'une chaleur redoutable et peu propice à la dégustation d'un vin de 15 degrés : ce fut alors que Michel appela.

« Demain matin à onze heures, dit-il. Dans les caves de Châteauneuf. Mangez beaucoup de pain au petit déjeuner. »

J'avais suivi ses conseils et, à titre de précaution supplémentaire, j'avais avalé une bonne cuillerée d'huile d'olive pure : excellent moyen, m'avait dit un des gourmets locaux, pour tapisser l'estomac et protéger l'organisme des assauts répétés de vins jeunes et puissants. C'est dire si j'étais déterminé à aborder sainement cette dégustation. Dans tous les cas, songeais-je en roulant sur les petites routes de campagne sinueuses et brûlées de soleil, je n'avalerais pas grand-chose. Je ferais comme les experts : je me rincerais le palais et je recracherais.

Juste avant onze heures, Châteauneuf apparut, tremblant dans la brume de chaleur. C'est un lieu totalement consacré au vin. Partout de séduisantes invitations : sur des panneaux au bois écaillé décoloré par le soleil, sur des pancartes fraîchement peintes, écrites à la main sur des bouteilles monstrueuses, fixées aux murs, plantées au bord des vignobles, collées sur des piliers à l'entrée de longues allées. *Dégustez ! Dégustez !*

Je franchis les portes du haut mur de pierre qui protège du monde extérieur les Caves Bessac, je me garai à l'ombre et je me décollai de la banquette. Je sentis le soleil me frapper le haut du crâne comme un chapeau d'air chaud trop serré. Devant moi, un long bâtiment, au faîte crénelé, avec une façade aveugle à l'exception d'énormes doubles-portes. Un groupe de gens, dont les silhouettes se découpaient sur le noir de l'intérieur, attendait sur le seuil, tenant de grandes coupes qui étincelaient au soleil.

La cave me sembla presque froide et le verre que Michel me tendit était dans ma main d'une agréable fraîcheur. C'était un des plus grands verres que j'aie jamais vus : un seau de cristal monté sur un pied, avec un gros ventre qui se rétrécissait vers le haut pour ne plus avoir que la circonférence d'un bocal à poissons rouges. Michel précisa qu'il pouvait contenir les trois quarts d'une bouteille de vin.

Après la lumière éblouissante de l'extérieur, mes yeux s'habituèrent à la pénombre et je commençai à me rendre compte que je n'étais pas dans une cave modeste. Vingt-cinq mille bouteilles se seraient perdues dans les ténèbres de l'un de ses lointains recoins. À vrai dire, il n'y avait pas de bouteilles. Rien que des boulevards de barriques, d'énormes tonneaux couchés sur des plates-formes qui vous arrivaient à la taille, leur courbe supérieure à quatre ou cinq mètres au-dessus du sol. Griffonnées à la craie sur la douve de fond de chaque tonneau se trouvaient des descriptions du contenu. Pour la première fois de ma vie, je pus me promener dans une carte des vins. Côtes-du-rhône-villages, lirac, vacqueyras, saint-joseph, croze-hermitage, tavel, gigondas. Des milliers de litres de chaque cru, rangés par année, sommeillant en silence en attendant la maturité.

« Alors, dit Michel, vous n'allez pas vous promener avec un verre vide. Qu'est-ce que vous prenez ? »

Le choix était trop grand. Je ne savais pas par où commencer. Michel voudrait-il bien me guider au milieu des tonneaux ? Je voyais que les autres avaient quelque chose dans leurs bocaux à poissons rouges : je prendrais la même chose.

Michel acquiesça. C'était la meilleure solution, m'assura-t-il, car nous ne disposions que de deux heures et il ne voulait pas que nous perdions notre temps avec des vins très jeunes quand il y avait tant de trésors prêts à être bus. Je me félicitai d'avoir avalé ma cuillerée d'huile d'olive. Un vin qu'on qualifiait de trésor, ça ne pouvait pas se recracher. Mais deux heures passées à avaler ces nectars m'auraient laissé aussi inerte qu'une des barriques : je demandai si on avait le droit de cracher.

Michel leva son verre devant une petite rigole qui marquait l'entrée du boulevard Côtes-du-Rhône. « Crachez si vous voulez, mais... » De toute évidence il estimait que ce serait une tragédie que de se priver de l'explosion des saveurs, de la rondeur qui réjouit le palais et de la profonde satisfaction qu'on éprouve à boire une œuvre d'art.

Le maître de chai, un vieil homme sec et nerveux, en blouson de coton couleur de pâle ciel bleu, apparut avec un instrument qui me rappela un compte-gouttes géant : presque un mètre de tube de verre avec à son extrémité une poire en caoutchouc grosse comme le poing. Il braqua le bec sur mon verre et y déversa une généreuse mesure de vin blanc tout en murmurant une prière : « Hermitage 86, bouquet aux arômes de fleurs d'acacia, sec, mais sans trop d'acidité. »

Je fis tournoyer mon verre, je humai, je me rinçai le palais et j'avalai. Délicieux. Michel avait tout à fait raison. Ce serait un péché que de livrer cela à la rigole. Je constatai avec un certain soulagement que les autres versaient ce qu'ils ne buvaient pas dans un grand pichet posé sur une table à tréteaux voisine. On transférerait plus tard cela dans une jarre contenant une mère de vinaigre et on obtiendrait ainsi un vinaigre quatre étoiles.

Nous progressâmes lentement le long des boulevards. À chaque halte, le maître de chai grimpait sur son échelle portative jusqu'en haut de la barrique, faisait sauter la bonde et insérait le bec assoiffé de son instrument. Il redescendait ensuite l'échelle avec autant de soin que s'il portait une arme chargée : et d'ailleurs, à mesure que la dégustation progressait, la comparaison s'imposait.

Les premières dégustations s'étaient confinées aux blancs, aux rosés et aux rouges les plus légers. Mais, comme nous progressions dans la pénombre plus épaisse au fond de la cave, les vins à leur tour devinrent plus sombres. Plus lourds aussi. Et remarquablement plus forts. On servait chacun d'entre eux avec l'accompagnement de sa brève mais respectueuse litanie. L'hermitage rouge, avec son nez de violette, de framboise et de mûre, était un *vin viril*. Le côtes-du-rhône *grande cuvée* était un élégant pur-sang, magnifique et *étoffé*. J'étais presque aussi impressionné par la richesse du vocabulaire que par les vins eux-mêmes : charnu, animal, musclé, bien bâti, voluptueux, nerveux. Et le maître de chai ne se répétait jamais. Je me demandai s'il était né avec des dons pour la description lyrique ou si chaque soir il emportait dans son lit un thésaurus.

Nous en arrivâmes enfin à la *merveille* de Michel : le châteauneuf-du-pape 1981. Il lui faudrait bien des années encore pour atteindre sa maturité, mais c'était déjà un chef-d'œuvre, avec sa robe *profonde*, son léger arôme d'épices et de truffe, sa chaleur, son équilibre : sans parler de sa teneur en alcool qui frôlait les 15 degrés. Je crus que Michel allait piquer une tête dans son verre : c'est beau de voir un homme qui aime son travail.

À regret, il reposa son verre et consulta sa montre. « Il faut qu'on y aille, dit-il. Je vais prendre quelque chose pour boire au déjeuner. » Il s'engouffra dans un bureau à l'entrée de la cave, et en ressortit chargé d'une caisse de douze bouteilles. Il était suivi d'un collègue qui portait une autre caisse. Nous devions être huit à déjeuner : combien survivraient ?

Nous quittâmes la cave, tressaillant sous la violence du soleil. Je m'étais limité à de toutes petites gorgées : je ressentis pourtant comme un coup de semonce un élancement dans le crâne en me dirigeant vers la voiture. De l'eau. Il me fallait de l'eau avant même de humer un autre verre de vin.

Michel me donna une grande claque dans le dos. « Rien de tel qu'une dégustation pour vous donner soif, dit-il. Ne vous en faites pas. Nous en aurons assez. » Bonté divine.

Le restaurant que Michel avait choisi était à une demi-heure de là, dans la campagne du côté de Cavaillon. C'était une *ferme auberge* : on y servait ce qu'il décrivit comme une cuisine provençale correcte dans un environnement rustique. Elle était à l'écart de la route et difficile à trouver : je devrais donc coller à sa voiture.

C'était plus facile à dire qu'à faire. Il n'existe pas à ma connaissance de statistiques à l'appui de ma théorie. Mais l'observation et des expériences qui m'ont conduit au bord de l'arrêt cardiaque m'ont convaincu qu'un Français qui a l'estomac vide conduit deux fois plus vite qu'un Français qui a l'estomac plein, ce qui est déjà trop rapide pour la santé d'esprit et les limitations de vitesse. Il était là, devant moi. Une minute plus tard, ce n'était plus qu'un petit nuage de poussière sur l'horizon chatoyant. Il tondait l'herbe sèche des bas-côtés dans les virages, fonçait par les rues étroites des villages plongés dans leur coma de midi, la production de ses sucs gastriques poussée à fond. Quand nous parvînmes au restaurant, toute pieuse idée de boire de l'eau avait disparu. J'avais besoin d'un verre.

La salle à manger de la ferme était fraîche et bruyante. Un grand récepteur de télévision jacassait tout seul, ignoré de la clientèle. Les autres convives, pour la plupart des hommes, étaient hâlés par le soleil. Vêtus pour travailler en plein air, ils arboraient de vieilles chemises et des gilets

sans manches, avec les cheveux aplatis et le front blanc
que donne le port habituel d'une casquette. Un chien de
race indéfinissable ronflait dans un coin, son museau fré-
missant dans son sommeil en flairant le parfum épicé de la
viande en train de cuire dans la cuisine. Je m'aperçus que
j'étais affamé. On nous présenta à André, le patron, dont
l'aspect physique, sombre et charnu, correspondait à la
description de certains des vins que nous avions bus. Il
émanait de lui un relent d'ail, de Gauloises et de pastis. Il
arborait une ample chemise, un short court, des sandales
en caoutchouc et une superbe moustache noire. Il avait
une voix qui dominait sans mal le brouhaha de la salle.

  « Hé, Michel ! Qu'est-ce-que-c'est-que-tu-nous-appor-
tes-là-peuchère ? De l'Orangina, du Coca-Cola ? » Il
entreprit d'ouvrir les caisses de vin et chercha dans la
poche revolver de son short un tire-bouchon. « Mamour !
Un seau, des glaçons, s'il te plaît. »

  Sa femme, robuste et souriante, sortit de la cuisine,
portant un plateau qu'elle déposa sur la table. Deux
seaux à glace, des assiettes de saucisson rose parsemé de
petits grains de poivre, un plat de radis bien roses et un
saladier empli d'une épaisse *tapenade,* la pâte d'olives et
d'anchois qu'on appelle parfois le beurre noir de Provence. André débouchait les bouteilles comme une une
machine, humant chaque bouchon et posant les bouteilles
en une double rangée au centre de la table. Michel expliqua que c'étaient certains des vins qu'il n'avait pas eu le
temps de goûter dans la cave : de jeunes côtes-du-rhône
pour la plupart, avec une demi-douzaine de renforts plus
anciens et plus sérieux en provenance de Gigondas pour
servir avec le fromage.

  Il y a quelque chose dans un déjeuner en France qui
ne manque jamais de faire succomber les piètres réserves
de volonté que je possède. Je peux m'attabler, bien décidé
à la modération, déterminé à manger et à boire légère-

ment : et je peux être là trois heures plus tard, à siroter mon vin et toujours en proie à la tentation. Je ne pense pas que ce soit de la gloutonnerie. Je crois que c'est l'ambiance créée par la présence dans une même pièce de gens qui se consacrent totalement à manger et à boire. Et, ce faisant, ils en parlent : ils ne discutent pas politique, sport ni affaires, mais de ce qui est dans l'assiette ou dans le verre. On compare les sauces. On débat des recettes, on évoque le souvenir de repas d'antan et l'on projette des festins à venir. Plus tard on pourra s'occuper du monde et de ses problèmes : pour l'instant, priorité à la gourmandise, il plane dans l'air une satisfaction profonde. Je trouve cela irrésistible.

Nous abordâmes le repas comme des athlètes qui s'échauffent. Un radis, son extrémité supérieure fendue pour abriter une fine tranche de beurre presque blanc parsemée de gros sel. Une tranche de saucisson, dont le poivre vous picote la langue. Des toasts faits avec le pain de la veille et luisants de tapenade. Des vins frais, blancs et rosés. Michel se pencha à travers la table pour me souffler : « Ici, on ne recrache pas. »

Le patron, qui buvait à petites lampées un verre de vin rouge devant ses fourneaux, nous présenta le premier plat avec tout le cérémonial dont était capable un homme en short et sandales de caoutchouc : il déposa sur la table une grande terrine, aux flancs presque noircis par le feu. Il planta dans le pâté un vieux couteau de cuisine, puis revint avec un grand pot en verre de cornichons et une assiette de confiture d'oignons. « Voilà, mes enfants. Bon appétit. »

Le vin changea de couleur : Michel servait ses jeunes rouges. La terrine faisait le tour de la table pour qu'on en reprît une tranche. André s'arracha à sa partie de cartes pour venir remplir son verre. « Ça va ? Ça vous plaît ? » Je lui dis combien j'aimais sa confiture d'oignons. Il me conseilla de garder un peu de place pour le plat suivant : un triomphe, dit-il en se baisant bruyamment le bout des doigts. C'étaient des alouettes sans tête, préparées tout exprès pour nous par son adorable Monique.

Malgré son nom un peu macabre, il s'agit d'un plat confectionné à partir de minces tranches de bœuf enroulées autour de morceaux de porc salé, assaisonnées d'ail et de persil hachés, macérées dans de l'huile d'olive, du vin blanc sec, du bouillon et du coulis de tomate et servies solidement bridées. Ça ne ressemble absolument pas à une alouette : on dirait plutôt une opulente saucisse. Mais un cuisinier provençal à l'esprit créatif a dû penser que des alouettes paraîtraient plus appétissantes à l'oreille que du bœuf roulé, et le nom a survécu.

Monique apporta les alouettes et André affirma qu'il les avait tirées ce matin. C'était un homme qui avait du mal à faire une plaisanterie sans en souligner physiquement le mot de la fin : le coup de coude qu'il me lança dans les côtes faillit me précipiter dans une platée de ratatouille.

Les alouettes sans tête étaient brûlantes et fleuraient bon l'ail : Michel décida qu'elles méritaient un vin plus sérieux. On vit s'avancer le gigondas prévu pour les fromages : la collection de cadavres de bouteilles en bout de table avait maintenant largement dépassé la dizaine. Je demandai à Michel s'il avait des projets de travail pour l'après-midi. Il eut un air surpris. « Je suis en train de travailler, dit-il. C'est comme ça que j'aime vendre du vin. Prenez donc un autre verre. »

La salade arriva, suivie d'un plateau en osier recouvert de fromages : de larges disques blancs de fromage de chèvre frais, du cantal léger et une meule d'un saint-nectaire crémeux en provenance d'Auvergne. Cela inspira une nouvelle plaisanterie à André, maintenant installé en bout de table. C'était ce petit garçon d'Auvergne à qui on demandait qui il préférait de sa mère ou de son père. L'enfant réfléchit un moment. « Ce que je préfère, c'est le jambon fumé », dit-il. André était secoué de rires. Je me félicitai d'être hors d'atteinte de son coude.

On nous proposa des portions de sorbet et une tarte aux pommes, mais j'étais vaincu. Quand André me vit secouer la tête, il rugit du bout de la table : « Il faut manger. Vous aurez besoin de toutes vos forces : nous allons faire une partie de boules. »

Après le café, il nous entraîna dehors pour nous montrer les chèvres qu'il gardait dans un enclos à côté du restaurant. Elles étaient blotties à l'ombre d'un appentis, et je les enviai : on n'allait pas leur demander de jouer aux boules sous un soleil qui vrillait le crâne comme un rayon laser. Ce n'était pas ce qu'il me fallait. J'avais les yeux endoloris par la réverbération et mon estomac demandait désespérément à s'allonger pour digérer en paix. Je présentai mes excuses. Je trouvai un coin d'herbe au pied d'un platane et je m'en allai reposer mon déjeuner sur le sol.

André m'éveilla peu après six heures pour me demander si je restais dîner. Il y avait des *pieds paquets*, dit-il, et, par un heureux hasard, deux ou trois bouteilles de gigondas avaient survécu. Non sans quelque difficulté, je m'échappai pour rentrer chez moi.

Ma femme avait passé une journée raisonnable à l'ombre, auprès de la piscine. J'avais l'air d'un lit défait : elle me regarda et me demanda si je m'étais bien amusé.

« J'espère qu'ils t'ont donné quelque chose à manger », dit-elle.

14

Dîner avec Pavarotti

La publicité précéda l'événement de plusieurs mois. Les photos d'un visage barbu, couronné par un béret, apparurent dans les journaux, sur des affiches. Dès le printemps, quiconque en Provence avait l'oreille un peu musicale connaissait la nouvelle : Imperator Pavarotti, comme l'appelait *Le Provençal,* venait cet été chanter pour nous. Mieux encore, ce serait le concert d'une vie en raison de l'endroit où il avait choisi de donner son récital. Non pas à l'Opéra d'Avignon, ni à la salle des fêtes de Gordes, où il serait protégé des éléments : mais en plein air, entouré de pierres antiques posées par ses compatriotes italiens dix-neuf siècles auparavant, quand ils avaient construit le Théâtre antique d'Orange. Véritablement un *événement éblouissant.*

Même vide le Théâtre antique est impressionnant : c'est un endroit à l'échelle colossale, presque incroyable. Il a la forme d'un D et le mur droit qui rejoint les deux extrémités du demi-cercle a cent mètres de long, trente-six mètres de haut et est absolument intact. Si ce n'était la patine laissée sur la pierre par près de deux mille ans d'intempéries, on pourrait le croire bâti de la veille. Derrière le mur, creusés au flanc d'une colline dont la pente se prête tout naturellement à des rangées de gradins, des bancs de pierre incurvés peuvent accueillir dix mille spectateurs.

À l'origine, on les asseyait selon leur classe : magis-
trats et sénateurs locaux devant, prêtres et membres des
guildes de commerçants derrière eux. Puis l'homme de la
rue et son épouse et enfin, tout en haut et loin des gens
respectables, les *pullati*, c'est-à-dire les mendiants et les
prostituées. En 1990, les règles avaient changé : l'attribu-
tion des places ne dépendait pas tant de la classe sociale
que de la rapidité d'action. On prévoyait que le concert se
donnerait à guichets fermés. Des mesures promptes et
décisives étaient nécessaires pour se procurer des billets.

Ce fut chose faite, tandis que nous tergiversions
encore, par notre ami Christopher, un homme qui opère
avec une précision militaire quand il s'agit d'une grande
soirée. Il organisa tout et nous donna nos ordres de
marche : prêts au départ à dix-huit heures, dîner à
Orange sous un magnolia à dix-neuf heures trente, assis
au théâtre à vingt et une heures. Toutes les troupes
devaient être équipées de coussins pour protéger les fesses
des sièges de pierre. Les rations liquides seraient fournies
pour l'entracte. Retour à la base prévu pour une heure du
matin environ.

Il y a des fois où c'est un soulagement et un plaisir que
de s'entendre dire exactement ce qu'on doit faire : c'était
l'une de ces occasions-là. Nous partîmes à six heures précises. Nous arrivâmes à Orange une heure plus tard pour
trouver la ville en pleine ambiance de fête. Tous les cafés
grouillaient de monde ; des tables et des chaises supplé-
mentaires mordaient sur la chaussée : c'était une épreuve
de conduite que de voir combien de serveurs on pouvait
éviter de renverser. Plus de deux heures avant la représentation, des centaines de gens déjà avec coussins et paniers
de pique-nique se dirigeaient en foule vers le théâtre. Les
restaurants affichaient des menus spéciaux pour la soirée
Pavarotti. Le Tout-Orange se frottait les mains d'avance.
Là-dessus, il se mit à pleuvoir.

La ville tout entière leva les yeux vers le ciel : serveurs, chauffeurs, porteurs de coussins et à n'en pas douter le Maître lui-même, quand les premières gouttes tombèrent sur les rues poussiéreuses, sèches depuis des semaines. Quelle catastrophe ! Allait-il chanter sous un parapluie ? Comment les musiciens pourraient-ils jouer avec des instruments mouillés, le chef d'orchestre diriger avec une baguette dégoulinante ? Tant que dura l'averse, on sentait presque des milliers de gens retenir leur souffle.

Vers neuf heures, la pluie avait depuis longtemps cessé. Les premières étoiles apparaissaient au-dessus de l'immense mur du théâtre quand nous nous joignîmes à la foule des mélomanes pour piétiner devant l'étalage des « pavarotteries » en vente auprès de l'entrée. Disques compacts, cassettes, affiches, T-shirts : on trouvait là tous les produits du marketing « pop ». Il ne manquait que des autocollants pour pare-chocs avec la mention « J'aime Luciano ». La file ne cessait de s'arrêter, comme s'il y avait eu une obstruction après l'entrée. Quand nous pénétrâmes dans le théâtre, je compris pourquoi. On restait immobile – on ne pouvait pas s'en empêcher – quelques secondes pour embrasser la vue depuis le devant la scène, la vue qu'aurait Pavarotti. Des milliers et des milliers de visages, pâles dans l'obscurité, formaient des rangées confuses les unes après les autres de demi-cercles qui s'arrêtaient dans la nuit. Au niveau du sol, on avait une sensation de vertige à l'envers. Les gradins étaient disposés suivant un angle incroyablement abrupt. Les spectateurs se trouvaient juchés de façon précaire sur leurs perchoirs, au bord de perdre l'équilibre pour dégringoler dans la fosse. Ils émettaient un bruit étrange. Au-dessus du murmure, mais au-dessous du ton normal de conversation : un bourdonnement discret et continu amplifié par les murs de pierre. Il me semblait être entré dans une ruche humaine.

Nous grimpâmes jusqu'à nos places, à une trentaine

de mètres au-dessus de la scène, juste en face d'une niche creusée dans le mur où, sous le feu des projecteurs, une statue de César Auguste, drapé dans sa toge impériale, était plantée, le bras tendu vers la foule. De son temps, Orange comptait quelque quatre-vingt-cinq mille habitants. Il y en a aujourd'hui un peu moins de trente mille. La plupart d'entre eux semblaient s'efforcer de trouver quelques centimètres carrés de pierre pour s'asseoir.

Une femme à la corpulence de diva, hors d'haleine après l'ascencion des marches, s'effondra sur son coussin auprès de moi en s'éventant avec un programme. Le visage rond et plein de gaieté, elle était d'Orange et elle était venue déjà bien des fois au théâtre. Mais jamais, me dit-elle, elle n'avait vu un public comme celui-là. Elle inspecta les têtes et fit des calculs : treize mille spectateurs, elle en était sûre. Heureusement que la pluie avait cessé.

Des applaudissements éclatèrent soudain. Les membres de l'orchestre défilaient sur la scène et commençaient à accorder leurs instruments : fragments musicaux qui retentissaient clairs et nets au-dessus du bourdonnement impatient de la foule. Dans un ultime grondement de timbales, l'orchestre s'arrêta et se tourna, comme toute l'assistance, vers le fond de la scène. Juste au-dessous de la statue d'Auguste, on avait drapé de rideaux noirs l'entrée centrale. Les rangées de têtes autour de nous se penchèrent en avant à l'unisson, comme si elles avaient répété leur mouvement : de derrière les rideaux noirs apparut la silhouette en noir et blanc du chef d'orchestre.

Nouvelle grêle d'applaudissements et chœur strident de sifflets provenant des places loin derrière et au-dessus de nous. Madame ma voisine fit *tut-tut*. On n'était pas à un match de football. *Épouvantable* comportement. Sans doute était-ce conforme à la tradition : les sifflets provenaient des places occupées par les mendiants et les prostituées. Ce n'était pas un secteur d'où l'on pouvait attendre des applaudissements de bon ton.

L'orchestre attaqua une ouverture de Donizetti. La musique flottait et plongeait dans l'air de la nuit, nullement déformée mais naturellement amplifiée, baignant le théâtre de ses accents. L'acoustique était impitoyablement révélatrice. S'il y avait des fausses notes ce soir, tout Orange le saurait.

Le chef d'orchestre salua. Il repartit vers le rideau. Il y eut un moment – à peine plus d'une seconde – où treize mille personnes restèrent silencieuses. Puis, dans un rugissement qui avait dû faire l'effet d'un choc physique, l'homme apparut, cheveux noirs, barbe noire, nœud de cravate blanc et habit à queue, un grand mouchoir blanc flottant dans sa main gauche. Il étendit les bras vers la foule. Il joignit les paumes et s'inclina. Pavarotti était prêt à chanter.

Mais, dans le quartier des mendiants et des prostituées, on n'était pas prêt à cesser de siffler : des coups de sifflet perçants, les deux doigts dans la bouche, qui auraient fait s'arrêter un taxi à l'autre bout d'Orange. Madame ma voisine était scandalisée. Des hooligans d'opéra, disait-elle. « Chhhhut », fit-elle. « Chhhhut », reprirent des milliers d'autres spectateurs. Renouveau des sifflets des mendiants et des prostituées. Pavarotti attendait, très pâle, les bras le long du corps. Le chef d'orchestre avait sa baguette levée. Avec l'accompagnement de quelques ultimes coups de sifflet d'irréductibles, on commença.

« *Quanto è cara, quanto è bella* », chantait Pavarotti. Il le faisait avec si peu d'effort apparent que l'ampleur de sa voix réduisait le théâtre aux dimensions d'une salle. Il se tenait immobile, le poids reposant sur sa jambe droite, le talon de son pied gauche légèrement soulevé, son mouchoir flottant dans la brise. Une exécution détendue, parfaitement contrôlée.

Il conclut par un rituel qu'il allait répéter tout au long de la soirée : un petit mouvement de la tête vers le haut en poussant la dernière note. Un large sourire, bras grands écartés avant de joindre ses paumes et de baisser la tête. Une poignée de main au chef d'orchestre, tandis qu'un tonnerre d'applaudissements venait se briser contre le mur du fond.

Il chanta encore et les applaudissements n'avaient pas complètement cessé que le chef d'orchestre l'escortait déjà jusqu'à l'entrée drapée du rideau où il disparut. J'imaginai qu'il était allé reposer ses cordes vocales et prendre une revigorante cuillerée de miel, mais Madame ma voisine avait une explication différente qui m'intrigua pendant les deux heures qui suivirent.

« À mon avis, déclara-t-elle, il fait un petit souper entre les arias.

— Madame, dis-je, certainement pas.

— Chhhhut, voici le flûtiste. »

À la fin du morceau, Madame revint à sa théorie. Pavarotti, m'expliqua-t-elle, était un solide gaillard et un gourmet réputé. La représentation était longue. Chanter comme il le faisait, *comme un ange*, était un effort pénible, épuisant. Il était donc logique que le chanteur se sustentât durant les moments où il n'était pas sur scène. Si je voulais bien examiner le programme, je verrais qu'il aurait fort bien pu être élaboré pour permettre de consommer une collation de petits plats bien espacés tandis que l'orchestre distrayait le public. Voilà !

Je regardai le programme et je dus bien admettre que Madame n'avait peut-être pas tort. Sa théorie était tout à fait plausible et, à lire entre les arias, un menu apparaissait :

DONIZETTI

(Insalata di carciofi)

CILEA

(Zuppa di fagioli alla Toscana)

ENTRACTE

(Sogliole a la Veneziana)

PUCCINI

(Tonneleni con funghi e piselli)

VERDI

(Formaggi)

MASSENET

(Granita di limone)

ENCORE
(Caffè e grappa)

Un autre signe, plus visible, montrait que le souper chantant pourrait bien ne pas être simplement un fruit de l'imagination de Madame. Comme tout le monde, j'avais supposé que le carré blanc de baptiste élégamment drapé autour des doigts de la main gauche de Pavarotti était un mouchoir. Mais il était plus grand, beaucoup plus grand qu'un mouchoir. Je m'en ouvris à Madame : elle hocha la tête.

« Évidemment, fit-elle. C'est une serviette. » Ayant

donné la preuve de son argument, elle s'installa de nouveau pour savourer le reste du concert.

Pavarotti fut inoubliable. Non seulement pour son talent de chanteur mais pour la façon dont il jouait avec le public : de temps en temps il risquait un écart vocal en tapotant alors la joue du chef d'orchestre, calculant sans une erreur ses entrées et ses sorties. Après l'un de ses séjours derrière le rideau, il réapparut portant une longue écharpe bleue enroulée autour de son cou et tombant jusqu'à sa taille : pour se protéger de la fraîcheur de la nuit, c'était du moins ce que je m'imaginais.

Madame, évidemment, ne s'y laissa pas tromper. Il avait eu un petit accident avec une sauce, affirma-t-elle. L'écharpe était là pour dissimuler les taches sur son gilet blanc. « N'est-ce pas qu'il est divin ? »

Le programme officiel s'acheva, mais l'orchestre s'attardait. Du quartier des mendiants et des prostituées montait le refrain suivant : « Ver-di ! Ver-di ! Ver-di ! » Cette fois tout le public le reprit en chœur jusqu'au moment où Pavarotti émergea pour bisser encore quelques morceaux : *Nessun Dorma, O Sole Mio*. Ravissement de l'assistance. Saluts de l'orchestre. Un ultime salut de la vedette. C'était fini.

Il nous fallut une demi-heure pour gagner la sortie et, au moment où nous débouchions sur la place, nous vîmes deux énormes Mercedes quitter le théâtre. « Je parie que c'est lui, dit Christopher. Je me demande où il va aller dîner. » Comme il ne s'était pas trouvé assis auprès de Madame, il ne devait pas savoir ce qui s'était passé derrière le rideau noir. Treize mille personnes avaient dîné avec Pavarotti sans s'en rendre compte. J'espère qu'il reviendra chanter à Orange. Et j'espère que la prochaine fois ils donneront le menu dans le programme.

15

Une leçon de pastis

Les tables et les fauteuils d'osier éraillés sont disposés à l'ombre des gros platanes. Il est près de midi. Les grains de poussière soulevés par les chaussures de toile d'un vieil homme qui traverse lentement la place flottent un long moment dans l'air et dansent dans l'éclat du soleil. Le garçon de café lève le nez de son numéro de *L'Équipe* et s'approche sans hâte pour prendre votre commande.

Il revient avec un petit verre, peut-être empli au quart s'il s'est montré généreux, et une carafe d'eau tout embuée. Quand vous versez l'eau, le contenu du verre se trouble, il prend une couleur intermédiaire entre le jaune et le gris brumeux et on sent monter l'odeur douce et pénétrante de l'anis.

Santé. Vous buvez un pastis, le lait de la Provence.

Pour moi, l'ingrédient le plus puissant du pastis, ce n'est pas l'anis, ni l'alcool : c'est *l'ambiance* et tout ce qui s'impose, où et comment il faut le déguster. Je n'imagine pas de le boire à la hâte. Je n'imagine pas non plus de le boire dans un pub de Fulham, dans un bar de New York, nulle part où l'on exige que les clients portent des chaussettes. Il n'aurait plus le même goût. Il faut de la chaleur, du soleil et l'illusion que l'horloge s'est arrêtée. Il faut être en Provence.

Avant de m'installer ici, j'avais toujours considéré le

pastis comme le breuvage national français fabriqué par deux établissements géants : il y avait Pernod, il y avait Ricard, et c'était tout. Puis je commençai à en rencontrer d'autres – Casanis, Janot, Granier – et j'en vins à me demander combien il existait de marques différentes. J'en comptai cinq dans un bar, sept dans un autre. Chaque Provençal que j'interrogeais était, bien sûr, un expert. Chacun me donnait une réponse différente, catégorique et sans doute inexacte. Assortie aussi de remarques désobligeantes sur les marques que, personnellement, il n'offrirait même pas à sa belle-mère.

Ce fut par hasard que je rencontrai un professeur de pastis. Comme il se trouvait être aussi un excellent chef, suivre ses cours n'était pas une épreuve trop pénible.

Michel Bost est né près d'Avignon. Il a émigré à Cabrières, à quelques kilomètres de là. Depuis douze ans maintenant, il dirige un restaurant dans le village, *Le Bistrot à Michel*, et tous les ans il réinvestit ses bénéfices dans son affaire. Il a ajouté une grande terrasse, agrandi les cuisines, installé quatre chambres pour les clients à qui les forces font défaut ou qui ont trop bu : bref il a fait de « chez Michel » un établissement confortable et plein d'animation.

Mais, malgré toutes les améliorations et l'apparition occasionnelle de gens d'une élégance raffinée parmi la clientèle estivale, une chose n'a pas changé. Le bar devant le restaurant est toujours le café du village. Tous les soirs, on y trouve une demi-douzaine d'hommes au visage hâlé et en tenue de travail qui sont passés là non pas pour dîner, mais pour parler boules devant un verre. Et les verres contiennent invariablement du pastis.

Nous arrivâmes un soir pour trouver Michel derrière le comptoir, où il présidait à une dégustation officieuse. Les enthousiastes locaux étaient en train de mettre à l'épreuve sept ou huit marques différentes, dont certaines que je ne connaissais pas.

Une dégustation de pastis n'a rien du rituel pratiqué dans un silence presque religieux qu'on pourrait observer dans les caves de bordeaux ou de bourgogne. Michel devait élever la voix pour se faire entendre au-dessus des claquements de lèvres et du choc des verres sur le comptoir.

« Essayez ça, me dit-il. C'est exactement comme ma mère le faisait. Ça vient de Forcalquier. » Il fit glisser un verre sur le zinc et l'emplit à ras bords d'un liquide provenant d'un pot métallique tout emperlé de buée où s'agitaient des cubes de glace.

Je bus une gorgée. Sa mère en confectionnait ? Deux ou trois comme ça et j'aurais de la chance si j'arrivais à grimper à quatre pattes l'escalier jusqu'à une des chambres. Je dis que cela me semblait fort et Michel me montra la bouteille : 45 degrés d'alcool, plus fort que le cognac, mais pas au-dessus de la limite légale du pastis. Et positivement doux, comparé à celui qu'on avait un jour offert à Michel. Deux verres de celui-là, disait-il, suffisaient à faire tomber raide un homme, avec un sourire sur son visage. *Plof!* Mais celui-là, c'était quelque chose de spécial : je compris au demi-clin d'œil de Michel qu'il n'était pas tout à fait légal.

Il quitta soudain le comptoir, comme s'il s'était souvenu d'un soufflé oublié au four, pour revenir avec divers objets qu'il déposa devant moi sur le comptoir.

« Savez-vous ce que c'est que ces choses-là ? »

Il y avait un grand verre orné d'un motif en spirale au pied court et large. Un verre plus petit, plus épais, étroit comme un dé à coudre et deux fois plus haut. Et puis ce qui avait l'air d'une cuillère en fer-blanc aplati décorée de perforations alignées en rangées symétriques. Sur le manche, juste derrière la tête plate, une torsade en forme de U.

« Bien avant que je le reprenne, cet établissement était un café, m'expliqua Michel. J'ai trouvé ça en abattant un mur. Vous n'en avez jamais vu ? »

Je n'avais aucune idée de ce que c'était.

« Autrefois, tous les cafés en avaient, c'est pour l'absinthe. » Il posa son index au bout de son nez pour le tordre légèrement : le geste qui symbolise l'ivresse. Je pris le plus petit des deux verres. « Ça, c'est la *dosette*, l'ancienne mesure pour l'absinthe. » Quand il me le passa, je sentis un objet solide, qu'on avait bien en main et qui paraissait lourd comme du plomb. Il prit l'autre verre et posa la cuillère en équilibre dessus, la torsade au bout du manche s'adaptant exactement au bord.

« Bon. Ici, fit-il en tapotant le creux de la cuillère, on met le sucre. Ensuite on verse l'eau par-dessus et elle tombe goutte à goutte par les trous dans l'absinthe. À la fin du siècle dernier, c'était une boisson très à la mode. »

L'absinthe, m'expliqua Michel, était une liqueur verte obtenue par distillation du vin et de l'armoise. Très amère, stimulante et hallucinogène, c'était un produit dangereux, une drogue. La liqueur contenait près de 70 degrés d'alcool et pouvait provoquer la cécité, l'épilepsie et la démence. C'est sous son influence, disait-on, que Van Gogh s'était coupé l'oreille, et que Verlaine avait tiré sur Rimbaud. Elle avait donné son nom à une affection particulière, l'*absinthisme*, et l'intoxiqué en arrivait trop souvent à « casser sa pipe ». Pour cette raison, on en interdit la vente en 1915.

Un homme à qui cette interdiction n'avait pas plu, c'était Jules Pernod, qui avait une distillerie d'absinthe à Montfavet, près d'Avignon. Mais il s'adapta à son époque en modifiant sa production pour confectionner une boisson à base d'anis, légalement autorisé. Ce fut un succès immédiat, avec l'avantage non négligeable que les clients survivaient pour venir en redemander.

« Vous voyez, dit Michel, le pastis est né en Avignon, comme moi. Essayez-en donc un autre. »

Il prit sur l'étagère une bouteille de Granier et je pus

lui dire que j'avais la même marque à la maison. Le Granier « Mon Pastis », comme le proclame l'étiquette, est fabriqué à Cavaillon. Il a une couleur plus douce que la teinte d'un vert plutôt agressif du Pernod et je le trouve moins fort. Et puis je suis enclin à soutenir les efforts locaux quand ils aboutissent à de bons produits.

Le Granier descendit : j'étais toujours debout. Afin de poursuivre ma première leçon, déclara Michel, il me fallait en essayer un autre, une grande marque : cela me permettrait de porter un jugement réfléchi sur une gamme comprenant de légères variations de goût et de couleur. Il me servit un Ricard.

J'en étais au point où il devenait assez difficile de préserver une attitude érudite et détachée pour comparer un pastis avec un autre. Je les trouvais tous bons : avec un goût clair, moelleux et insidieux. L'un peut-être pouvait avoir un soupçon de réglisse de plus que les autres : mais le palais s'engourdit quelque peu après quelques gorgées au goût fort et à la teneur en alcool élevée. C'est une sensation plaisante et qui stimule énergiquement l'appétit. Mais toute trace de sens critique avec lequel j'avais pu commencer avait disparu quelque part entre le deuxième et le troisième verre. En tant que connaisseur de pastis, j'étais désespérant. Content et affamé, mais désespérant.

« Comment était le Ricard ? » demanda Michel. Je répondis que le Ricard était excellent mais que peut-être que l'éducation que j'avais absorbée suffisait pour un soir.

Les jours suivants, je ne cessai de griffonner des questions que je voulais poser à Michel. Je trouvais curieux, par exemple, que le mot fût si connu, qu'il évoquât des associations d'idées aussi fortes et que ses origines parussent aussi nuageuses que la boisson elle-même. Qui avait inventé le pastis avant que Pernod s'en empare ? Pourquoi est-il si solidement enraciné en Provence plutôt qu'en Bourgogne ou en pays de Loire ? Je retournai trouver le professeur.

Chaque fois que j'ai interrogé un Provençal sur la Provence – qu'il s'agisse du climat, de la cuisine, de l'histoire, des mœurs des animaux ou des bizarreries des humains –, les réponses n'ont jamais manqué. Le Provençal adore instruire : il le fait en général en apportant une importante contribution personnelle, *avé l'accent*, et de préférence autour d'une table. La tradition fut respectée. Le seul jour de la semaine où son restaurant est normalement fermé, Michel organisa un déjeuner avec quelques amis qu'il décrivit comme des « hommes responsables » et qui se feraient un plaisir de me guider sur les chemins de la connaissance.

Nous nous réunîmes à dix-huit sous le grand parasol blanc dans la cour de Michel et on me présenta à un assemblage flou de visages, de noms et de descriptions : un fonctionnaire d'Avignon, un viticulteur de Carpentras, deux cadres de chez Ricard, quelques robustes natifs de Cabrières. Il y avait aussi un homme qui portait une cravate, mais il s'en débarrassa au bout de cinq minutes pour l'accrocher par un nœud sur un chariot à bouteilles. Ce fut le commencement et la fin de tout formalisme.

La plupart des convives partageaient la passion de Michel pour les boules et le vigneron de Carpentras avait apporté avec lui quelques caisses de sa cuvée spéciale, dont les étiquettes représentaient des joueurs en action. On mit le rosé à rafraîchir, on déboucha le rouge. On servit en abondance le breuvage des sportifs, le soutien du bouliste : le vrai pastis de Marseille, le pastis Ricard.

Né en 1909 et, à en croire un de ses directeurs, toujours débordant d'activité, Paul Ricard a connu une réussite qui est un exemple classique d'exploitation énergique et intelligente. Son père était marchand de vin et le travail du jeune Paul l'entraînait dans les bars et les bistrots de Marseille. En ce temps-là, les lois sur la distillation n'étaient pas rigoureuses, et de nombreux établissements fabriquaient eux-mêmes leur pastis. Ricard décida de produire le sien, mais il ajouta un ingrédient qui manquait aux autres : le génie de la promotion. Le *vrai pastis de Marseille* n'était peut-être pas très différent des autres, mais il était bon et rendu meilleur encore par le talent de vendeur de Ricard. Avant longtemps, son pastis devint le plus populaire, du moins à Marseille.

Ricard était prêt à se développer et il prit une décision qui hâta sans doute sa réussite de plusieurs années. La région autour de Marseille était un marché très concurrentiel. Partout il y avait du pastis, une boisson des plus banales. Marseille elle-même ne jouissait pas auprès de ses voisins de la meilleure réputation. Aujourd'hui encore, on considère un Marseillais comme un blagueur, quelqu'un qui exagère, un homme qui décrit une sardine comme si c'était une baleine et qu'il ne faut pas croire au pied de la lettre.

Mais plus au nord, on pouvait vendre le pastis comme un produit exotique, et la distance améliorait la réputation de Marseille. On pouvait conférer au produit le charme du Midi : un charme ensoleillé, détendu et un peu canaille qui séduirait un homme du Nord habitué aux hivers glacials et aux ciels gris. Ricard se rendit donc dans *le Nord*, d'abord à Lyon, puis à Paris, et la formule opéra. On aurait du mal aujourd'hui à trouver quelque part en France un bar sans sa bouteille *de vrai pastis de Marseille*.

L'homme de chez Ricard qui me racontait cela parlait de son patron avec une sincère affection. M. Paul, disait-il, était un *original,* quelqu'un qui chaque jour cherchait un défi à relever. Quand je demandai si, comme nombre de puissants hommes d'affaires, il se mêlait de politique, j'eus droit à un ricanement amusé. « Les politiciens ? Il les vomit tous. » C'était un sentiment que je comprenais mais, dans une certaine mesure, cela me semblait dommage. L'idée d'un baron du pastis comme pré-

sident de la République française me séduisait. Sans doute
aurait-il été élu sur son slogan publicitaire : *Un Ricard,
sinon rien.*

Mais ce n'était pas Ricard qui avait inventé le pastis.
Comme Pernod, il avait mis en bouteille et lancé sur le
marché quelque chose qui existait déjà. D'où venait cette
boisson ? Qui le premier avait mélangé l'anis, la réglisse,
le sucre et l'alcool ? Y avait-il un moine (les moines, on ne
sait pourquoi, ont un don pour les inventions alcoolisées,
du champagne à la bénédictine) qui, par un jour béni, en
avait fait la découverte dans les cuisines du monastère ?

Personne autour de la table ne savait exactement comment le premier verre de pastis avait fait son apparition
dans un monde assoiffé. Mais l'absence de connaissances
précises n'a jamais empêché un Provençal d'exprimer une
opinion comme un fait ni de transformer une légende en
histoire sérieuse. L'explication la moins plausible, celle
donc que l'on préférait, c'était la théorie de l'ermite :
l'ermite, bien sûr, arrivant presque à la hauteur du moine
s'il s'agit d'inventer un apéritif nouveau.

Cet ermite-là vivait dans une cabane enfouie au plus
profond de la forêt, sur les pentes du Luberon. Il ramas-
sait des herbes qu'il faisait bouillir dans une énorme mar-
mite, le traditionnel chaudron des sorcières, des magiciens
et des alchimistes. Les extraits qui restaient dans le chaudron après l'ébullition avaient de remarquables propriétés : non seulement ils étanchaient la soif de l'ermite, mais
ils le protégèrent d'une épidémie de peste qui menaçait de
décimer la population du Luberon. L'ermite était un
homme généreux : il partagea sa mixture avec les malades
atteints de la peste qui guérirent aussitôt. Pressentant,
peut-être comme Paul Ricard longtemps après lui, des
débouchés plus larges pour son breuvage miraculeux, il
quitta sa cabane de la forêt pour faire ce que tout ermite
ayant le sens des affaires aurait fait : il partit pour Marseille où il ouvrit un bar.

La raison moins pittoresque mais plus vraisemblable qui a fait de la Provence la patrie du pastis, c'est qu'on y trouvait facilement les ingrédients. Les herbes ne coûtaient rien ou presque. La plupart des paysans faisaient eux-mêmes leur vin et distillaient leur propre liqueur dispensatrice de migraines : jusqu'à une époque relativement récente, le droit de distillation était un privilège familial qui se transmettait de père en fils. Ce privilège du bouilleur de cru a été révoqué mais il survit encore quelques distillateurs qui, jusqu'à leur mort, sont légalement autorisés à fabriquer ce qu'ils boivent, et le pastis maison existe toujours même s'il devient rare.

Mme Bost, la femme de Michel, était née près de Carpentras : elle se souvient que son grand-père fabriquait un pastis corsé, à la teneur en alcool illégale, une boisson à faire s'écrouler une statue. Le grand-père reçut un jour la visite du gendarme du village. Visite officielle, sur la moto officielle, en uniforme, ce qui n'était jamais bon signe. Le gendarme se laissa persuader de goûter un des virulents verres de pastis du grand-père. Puis un autre. Puis un troisième. Jamais on n'aborda l'objet de la visite. Mais grand-père dut faire deux voyages jusqu'à la gendarmerie avec sa camionnette. Le premier pour ramener le policier inconscient et sa motocyclette. Le second pour rapporter ses bottes et son arme de *service* qu'on avait découvertes plus tard sous la table.

C'était le bon temps. Et quelque part en Provence, sans doute persiste-t-il encore.

16

Dans le ventre d'Avignon

Dans ces sinistres moments de grisaille qui précèdent l'aube, la place Pie, au centre d'Avignon, offre un triste spectacle. Cette place est d'une architecture bâtarde : deux côtés de vieux bâtiments croulants mais élégants font face à un abominable monument à l'urbanisation moderne. On a dû laisser la bride sur le cou à un diplômé de l'école du *béton armé* du bâtiment : il en a fait le plus mauvais usage.

On a déversé des bancs, des dalles à peine dégrossies autour d'un triste spectacle. Sur ces bancs, le touriste las peut se reposer et contempler un autre spectacle encore plus accablant : trois étages de béton maculé qui, les jours de semaine, sont dès huit heures du matin envahis de voitures. La raison de leur présence est celle qui m'amenait place Pie à temps pour voir l'aurore aux doigts de rose venir teinter le béton. On trouve à l'étal et en vente sous ce parking les meilleurs produits alimentaires d'Avignon : ce sont les Halles.

J'arrivai là quelques minutes avant six heures et je me garai à l'une des rares places libres au second niveau. Au-dessous de moi, sur la place, j'aperçus deux clochards dont la peau avait la même couleur que le banc sur lequel ils étaient assis. Ils partageaient un litre de vin rouge en buvant tour à tour une gorgée à la bouteille. Un gendarme s'approcha d'eux et leur fit signe d'aller plus loin, puis se

planta, les poings sur les hanches, pour les regarder. Ils
s'éloignèrent de la démarche pesante et vaincue d'hommes
qui n'ont rien à espérer et nulle part où aller, et s'en
furent s'asseoir sur le trottoir de l'autre côté de la place.
Le gendarme haussa les épaules et tourna les talons.

Le contraste entre le vide sinistre et silencieux de la
place et l'intérieur des Halles était brutal. D'un côté de la
porte, une ville encore endormie. De l'autre, lumières et
couleurs vives, un pandémonium de cris et de rires, une
journée de travail qui battait son plein.

Je dus faire un saut de côté pour éviter une collision
avec un chariot où s'entassaient des caisses de pêches,
poussé par un homme qui chantonnait « Klaxon, klaxon »
tout en prenant son virage à toute vitesse. D'autres chariots le suivaient, leur chargement dans un équilibre précaire. Je cherchai un endroit où échapper à ces fruits et
légumes de Formule 1 et je me précipitai vers une pancarte annonçant *Buvette*. Si je devais être écrasé, je préfé-
rais que la tragédie se produisît dans un café.

À en croire le panonceau, Jacky et Isabelle en étaient
les propriétaires, et l'établissement était en état de siège.
Le comptoir était si encombré que trois hommes lisaient le
même journal. Toutes les tables voisines étaient occupées
par ceux qui prenaient le premier service du petit déjeuner, voire du déjeuner. À regarder les plats, on avait du
mal à dire quel repas on servait. Ici on trempait des croissants dans de grandes tasses de café crème fumant. Là on
dévorait auprès de verres de vin rouge des sandwiches au
saucisson longs comme le bras, on buvait de la bière, on
dégustait des parts croustillantes de pizza chaude.
J'éprouvais un pincement d'envie pour le petit déjeuner
des champions, le demi-litre de rouge et le sandwich au
saucisson : mais boire à l'aube est la récompense de ceux
qui ont travaillé toute la nuit. Je commandai un café et
m'efforçai de discerner quelque apparence d'ordre dans le
chaos qui m'entourait.

Les Halles occupent une superficie d'environ soixante-dix mètres carrés et il y a très peu de place de perdue. Trois passages principaux séparent les étals de tailles diverses et, à cette heure de la matinée, on avait du mal à imaginer les clients capables d'y accéder. Des caisses, des cartons enfoncés et des lambeaux d'emballage s'entassaient devant nombre de comptoirs. Le sol était jonché de victimes – feuilles de laitue, tomates écrasées, haricots errants – qui n'avaient pas réussi à tenir bon lors de la dernière étape échevelée de la livraison.

Les marchands étaient trop occupés à inscrire les prix du jour et à disposer leurs produits pour trouver les cinq minutes nécessaires à une visite au bistrot : ils réclamaient donc à grands cris du café que leur apportait la serveuse d'Isabelle, une véritable acrobate qui franchissait les cageots en tenant son plateau d'une main ferme. Elle parvenait même à garder son équilibre dans la zone à haut risque des poissonniers, où le sol était rendu glissant par la glace que des hommes en tabliers de caoutchouc répandaient avec des mains rouges et sillonnées de crevasses sur les étagères en acier de leurs étalages.

On aurait cru entendre du gravier tombant sur du verre. Il y avait un autre bruit plus pénible qui dominait le brouhaha : c'étaient les bouchers qui sciaient les os et tranchaient les tendons en quelques coups décisifs de leurs couperets. J'espérais pour leurs doigts qu'ils n'avaient pas pris de vin au petit déjeuner.

Au bout d'une demi-heure, on pouvait sans risque quitter le café. On avait retiré les piles de cageots, garé les chariots : la circulation s'effectuait maintenant sur des jambes et non pas sur des roues. Une armée de balais avait chassé les débris de légumes tombés à terre. On avait inscrit les prix sur des étiquettes en plastique plantées au milieu des produits. On avait ouvert les tiroirs-caisses et bu le café. Les affaires allaient commencer.

Je n'ai jamais vu autant d'aliments frais ni une telle diversité dans un espace aussi confiné. Je comptai cinquante éventaires dont beaucoup étaient entièrement consacrés à une seule spécialité. Il y avait deux étals où on vendait des olives – rien que des olives – dans tous les styles imaginables de préparation : olives à la grecque, olives à l'huile aromatisée, olives piquées d'éclats cramoisis de piment, olives de Nyons, olives des Baux, olives qui ressemblaient à de petites prunes noires ou à des raisins verts aux grains allongés. Elles s'alignaient dans des bacs en bois trapus, étincelant comme si chacune d'elles avait été individuellement astiquée. Tout au bout de l'éventaire, on ne voyait que ce qui n'était plus des olives : un baril d'anchois de Collioure, entassés plus serrés que des sardines, à l'odeur piquante et salée quand je me penchai pour les flairer. La femme qui trônait derrière le comptoir me dit d'en goûter un avec une grosse olive noire. Est-ce que je savais faire la tapenade, la pâte d'olive et d'anchois ? Un pot chaque jour et je vivrais centenaire.

Un autre étal, un autre spécialiste : tout ce qui a des plumes. Des pigeons, plumés et troussés, des magrets de canard et des cuisses de caneton, trois membres différents de l'aristocratie des poulets, avec les espèces souveraines, les poulets de Bresse, arborant comme des médailles leur étiquette bleu, blanc, rouge. *Légalement contrôlée*, proclamaient les étiquettes, *par le Comité interprofessionnel de la Volaille de Bresse*. J'imaginais les volailles élues recevant leurs décorations d'un digne membre du Comité, sans doute avec le baiser traditionnel de chaque côté du bec.

Et puis il y avait les poissons, disposés ouïe contre ouïe sur une rangée d'éventaire qui occupait toute la longueur d'un mur : quarante mètres au moins d'écailles scintillantes et d'yeux encore brillants. Des banquettes de glace pilée qui sentaient la mer séparaient le calmar du thon à la chair assombrie de sang, la rascasse du loup de mer, la morue de la raie. Des pyramides de palourdes, de seiches, de bigorneaux, de petites crevettes grises et de gambas monstrueuses, de poissons pour la friture et de poissons pour la soupe, de homards couleur d'acier sombre, avec les taches jaunes de paniers de citrons frais. Des mains habiles armées de longs couteaux bien affûtés découpaient et vidaient, dans le gargouillis des bottes de caoutchouc sur les dalles humides du sol.

Il était presque sept heures : les premières ménagères commençaient à examiner, en tâtant et en pressant, ce qu'elles allaient faire cuire le soir. Le marché ouvre à cinq heures et demie et la première demi-heure est officiellement réservée aux commerçants et aux propriétaires de restaurant : mais je n'imaginais personne d'assez courageux pour se dresser sur le chemin d'une matrone avignonnaise déterminée qui voudrait faire ses courses avant six heures. Il faut venir de bonne heure pour être le mieux servi, nous avait-on souvent dit, et attendre la fermeture du marché pour payer le moins cher.

Mais qui pourrait attendre aussi longtemps, entouré de pareilles tentations ? En quelques enjambées, j'avais en imagination goûté une douzaine de plats. Un panier d'œufs de basse-cour se transformait en piperade, avec le jambon de Bayonne de l'étal voisin et les poivrons proposés quelques mètres plus loin. Cela m'entraîna jusqu'au saumon fumé, jusqu'au caviar. Il y avait les fromages, les saucissons, les pâtés de lapin, de lièvre et de porc, les grandes terrines pâles de rillettes, les confits de canard. Ce serait de la folie de ne pas tout essayer.

Je faillis presque interrompre mes recherches pour aller pique-niquer dans le parking. Tout ce qu'il me fallait, y compris le pain à un éventaire, le vin à un autre, était dans un rayon de vingt mètres, tout frais et magnifiquement présenté. Pouvait-on imaginer meilleure façon d'attaquer la journée ? Je m'aperçus que mon appétit s'était adapté à l'environnement, en faisant un bond de quelques heures. Ma montre disait sept heures et demie. Mon estomac me soufflait que c'était le moment de déjeuner, au diable l'heure. Je m'en fus chercher le réconfort moral d'une autre tasse de café.

Il y a trois bars aux Halles : Jacky et Isabelle, Cyrille et Evelyne et, le plus dangereux des trois : *Chez Kiki,* où on commence à servir le champagne bien avant que la plupart des gens aient mis le pied hors de leur lit. Je vis deux robustes gaillards se porter mutuellement un toast, tenant délicatement leurs flûtes entre de gros doigts épais, de la terre sous leurs ongles, de la terre sur leurs grosses bottes. De toute évidence, ils avaient bien vendu leurs laitues ce matin.

Les allées et les étals étaient maintenant envahis par le public : chacun faisait ses courses, avec l'air concentré teinté de méfiance de gens bien décidés à découvrir le plus tendre, le plus juteux, le meilleur. Une femme chaussa ses lunettes pour inspecter une rangée de choux-fleurs qui à mes yeux semblaient identiques. Elle en choisit un, le soupesa dans sa main, scruta la tête aux bourgeonnements blancs serrés, le huma, puis le reposa. À trois reprises elle répéta ce manège avant de faire son choix. Puis elle surveilla le marchand par-dessus la monture de ses lunettes pour s'assurer qu'il ne tentait pas de remplacer l'élu par un spécimen moins parfait de la rangée du fond. Je me souvenais m'être entendu dire par un marchand de légumes de ne pas toucher aux produits. Il y aurait un scandale ici si on avait voulu appliquer la même déplorable décision. On n'achète pas un fruit, pas un légume sans le mettre à l'épreuve du toucher et tout marchand qui essaierait de décourager cette habitude se verrait chassé du marché à coup de pierres.

Avignon a ses Halles depuis 1910 mais l'emplacement sous le parking ne fonctionne que depuis 1973. C'étaient toutes les informations que la fille du bureau pouvait me donner. Quand je m'enquis de la quantité de produits vendus en une journée ou en une semaine, elle se contenta de hausser les épaules en me disant : « *Beaucoup.* »

Et c'était assurément beaucoup, qui s'entassaient et s'empilaient dans tous les récipients imaginables, depuis des valises délabrées jusqu'à des sacs à provisions apparemment capables d'une expansion infinie. Un homme d'un certain âge, aux jambes arquées dans son short, et coiffé d'un casque, poussa sa mobylette jusqu'à l'entrée pour venir charger ses achats de la matinée : un cageot en plastique rempli de melons et de pêches, deux énormes paniers qui s'efforçaient de maîtriser leur contenu, un sac de coton avec une douzaine de baguettes. Il répartit avec soin le poids du chargement autour de sa machine. Le cageot de fruits fut fixé par les courroies élastiques du porte-bagages derrière la selle. On accrocha les paniers au guidon. Il passa le sac de pain en bandoulière. Tout en quittant le marché, avec assez de provisions pour une semaine, il cria à l'un des marchands : « À demain! »

Je le regardai se lancer dans le flot de la circulation sur la place Pie, le minuscule moteur de son engin crachotant sous l'effort, la tête penchée sur le guidon, les baguettes pointant comme un carquois de grosses flèches d'or. Il était onze heures : le café en face du marché avait dressé ses tables sur le trottoir pour le déjeuner.

17

Cartes postales estivales

Il nous a fallu trois ans pour accepter le fait que nous habitons toujours la même maison mais en deux endroits différents.

Ce que nous considérons comme la vie normale commence en septembre. À l'exception des jours de marché dans les villages, pas de foule. Dans la journée, la circulation sur les petites routes est clairsemée : un tracteur, quelques camionnettes. La nuit, elle est pratiquement inexistante. Dans tous les restaurants on trouve toujours une table, sauf peut-être le dimanche à déjeuner. La vie mondaine est intermittente et sans complication. Le boulanger a du pain, le plombier a le temps de bavarder, le facteur toujours un moment pour prendre un verre. Une fois passé le premier week-end assourdissant de la saison de la chasse, la forêt est silencieuse. Dans chaque champ, une silhouette songeuse travaille, le dos courbé par les vignes : elle remonte très lentement une rangée, descend très lentement la suivante. Entre midi et deux heures, c'est une période morte.

On en arrive alors à juillet et août.

Autrefois, nous les traitions tout simplement comme deux autres mois de l'année : des mois chauds, assurément, mais rien qui exigeât une grande adaptation de notre part, sauf de s'assurer que l'après-midi comprenait une sieste. Là où nous vivons, en juillet et en août, c'est toujours le Luberon, mais ça n'est plus le même. C'est le Luberon des *vacances*. Et tous nos efforts pour mener une existence normale durant cette période anormale ont lamentablement échoué. À telle enseigne que nous avons envisagé un jour de supprimer complètement l'été pour nous en aller dans un endroit gris, frais et paisible, comme les Hébrides.

Mais si nous faisions cela, l'été nous manquerait sans doute, tel qu'il est, même avec les jours et les incidents qui nous ont réduits à l'état de zombies transpirants, irrités et exténués. Nous avons donc décidé de nous accommoder du Luberon en été. De faire de notre mieux pour nous mêler à tous ces vacanciers, d'envoyer des cartes postales pour dire à nos amis lointains quels moments merveilleux nous passons. En voici quelques échantillons.

Aéroport de Marignane

Trois heures de l'après-midi, et toujours pas trace de l'avion de treize heures.

Quand j'avais appelé pour me faire confirmer qu'il était à l'heure, on m'avait répondu par l'habituel mensonge optimiste. J'étais donc parti de la maison à onze heures et demie et j'avais passé l'heure la plus chaude d'un jour brûlant sur l'autoroute. J'avais essayé d'éviter une mort soudaine au milieu d'un essaim de missiles Renault 5 lancés tôt ce matin-là de Paris avec pour objectif la Côte d'Azur. Comment ces gens peuvent-ils conduire avec les quatre roues qui ne touchent pas le sol ?

Le tableau d'affichage des arrivées signale un petit retard, pas grand-chose, quarante-cinq minutes. Le temps de prendre un café, deux cafés. Les vols à destination d'Oran ont été retardés aussi. Le hall de l'aéroport est envahi de travailleurs arabes qui rentrent au pays avec leur famille, les enfants blottis au milieu des valises en plastique à rayures roses, bleues et blanches, bourrées à éclater. Sur les visages basanés et couturés de cicatrices des hommes, on lit la patience et la résignation.

L'hôtesse au guichet répond à ma question concernant le vol en me désignant le tableau : quarante-cinq minutes de retard. Je réponds que l'avion a déjà une heure de retard. Elle hausse les épaules et consulte la boule de cristal de l'ordinateur. En effet, comme l'indique bien le tableau d'affichage, il a quarante-cinq minutes de retard. Est-ce que l'avion a déjà quitté Londres ? Oui, me dit-elle. Mais je sais que, comme à toutes les autres, on lui a enseigné l'art du mensonge.

Il est tout près de cinq heures quand l'avion se pose et que les passagers pâles et de mauvaise humeur commencent à sortir. Ils ont passé leurs premières heures de vacances à attendre sur la piste à Heathrow. Certains d'entre eux commettent l'erreur d'abattre impatiemment leur passeport comme un atout maître sur le comptoir devant le fonctionnaire de l'immigration. Il se venge en examinant chaque page avec une exaspérante minutie, marquant un temps entre les pages pour se lécher le bout du doigt.

Mes amis arrivent, un peu fripés mais joyeux. Quelques minutes pour aller chercher les bagages et nous pourrons être de retour bien assez tôt pour piquer une tête dans la piscine avant le dîner. Mais un quart d'heure plus tard, ils attendent toujours devant la zone de livraison des bagages maintenant déserte. La compagnie aérienne a prévu des vacances séparées pour une de leurs valises : Newcastle, Hong Kong, qui sait ? Nous allons rejoindre les autres naufragés au comptoir des bagages perdus.

Nous sommes de retour à sept heures et demie, presque exactement huit heures après mon départ de la maison.

Saint-Tropez

Cherchez les nudistes ! La chasse aux amoureux de la nature est ouverte : on observe sans doute une vive progression dans le nombre des candidats qui désirent rallier les rangs de la police de Saint-Tropez.

Le maire, M. Spada, a décrété qu'au nom de la sécurité et de l'hygiène, on ne pourra plus prendre de bains de soleil nu sur les plages publiques. « Le nudisme intégral est interdit », déclare M. Spada : il a donné pour consigne à la police d'arrêter tout délinquant. Enfin, peut-être pas de les arrêter, mais de les traquer et de leur infliger une amende de 75 francs et même jusqu'à 1 500 francs s'ils se sont rendus coupables d'outrage public à la pudeur. Comment donc un nudiste pourrait-il avoir 1 500 francs sur lui : c'est une question qui intrigue les gens du pays.

Cependant, un groupe de nudistes a relevé le défi en installant son quartier général parmi des rochers derrière la plage de la Moutte. Une porte-parole du groupe a déclaré qu'en aucune circonstance on ne porterait de maillot de bain. Dommage que vous ne soyez pas là.

Le champ de melons

Jacky, le frère d'Amédée, un petit homme sec d'une soixantaine d'années, cultive des melons dans le champ en face de la maison. C'est un grand champ, mais il fait quand même tout le travail lui-même et à la main. Au printemps, je l'ai souvent vu passer là six ou sept heures, le dos plié comme une charnière, sa binette sarclant les mauvaises herbes qui menacent d'étouffer sa récolte. Il ne pulvérise pas : qui voudrait manger un melon ayant le goût de produits chimiques ? Je crois qu'il aime à s'occuper de sa terre en suivant les méthodes traditionnelles.

Maintenant que les melons mûrissent, chaque matin à six heures il vient dans son champ piquer ceux qui sont prêts. Il les apporte à Ménerbes où on les emballe dans des cageots. De Ménerbes, ils partent pour Cavaillon et de Cavaillon on les expédie jusqu'en Avignon, à Paris, partout. Cela amuse Jacky de penser que dans des restaurants élégants, des gens paient une *petite fortune* pour quelque chose d'aussi simple qu'un melon.

Si je me lève d'assez bon matin, je peux le surprendre avant qu'il se rende à Ménerbes. Il a toujours deux ou trois melons trop mûrs pour voyager et il me les vend pour quelques francs.

Je regagne la maison : le soleil franchit la crête de la montagne et je sens soudain sa chaleur sur mon visage. Les melons, dont je soupèse la satisfaisante lourdeur entre mes mains, gardent encore la fraîcheur de la nuit. Nous les mangeons au petit déjeuner, frais et sucrés, moins de dix minutes après qu'ils ont été cueillis.

Derrière le bar

Il y a un moment où une piscine cesse d'être un luxe pour devenir presque une nécessité : c'est quand la température dépasse les 30 degrés. Quand les gens nous posent des questions sur la location d'une maison pour l'été, nous le leur disons toujours : certains d'entre eux écoutent.

D'autres pas. Et deux jours après leur arrivée, ils sont au téléphone à nous raconter ce que nous leur avons expliqué des mois auparavant. « Il fait vraiment chaud », disent-ils. Trop chaud pour jouer au tennis, trop chaud pour faire de la bicyclette, trop chaud pour partir en excursion, trop chaud, trop chaud. Oh! que ne donneraient-ils pas pour une piscine. « Quelle chance vous avez! »

Il y a une pause lourde d'espoir. Est-ce mon imagination, ou est-ce que j'entends vraiment les gouttes de transpiration tombant comme une pluie d'été sur les pages de l'annuaire du téléphone?

La solution, à mon avis, c'est d'être ferme mais serviable. Il y a une piscine publique près d'Apt, si cela ne vous gêne pas de partager l'eau avec quelques centaines de petits derviches bruns en vacances scolaires. Il y a la Méditerranée : à peine une heure de voiture; non, avec la circulation qu'il y a, comptez plutôt deux heures. Assurez-vous d'avoir quelques bouteilles d'eau d'Évian dans votre voiture. Ce serait dommage de souffrir de déshydratation.

Ou bien vous pourriez fermer les volets pour vous protéger du soleil, passer la journée à l'intérieur et en ressortir rafraîchi dans l'air du soir. Ce ne serait pas de cette façon que vous pourriez acquérir le hâle « souvenir », mais au moins vous ne risqueriez pas l'insolation.

Ces brutales et indignes suggestions ont à peine le temps de me traverser l'esprit que dans la voix de mon interlocuteur le désespoir cède la place au soulagement. « Mais bien sûr! Nous pourrions venir le matin prendre un bain rapide sans vous déranger. Juste piquer une tête dans l'eau. Vous ne sauriez même pas que nous sommes venus. »

Ils arrivent à midi, avec des amis. Ils se baignent. Prennent le soleil. À leur grande surprise, la soif lentement les gagne et voilà pourquoi je suis derrière le bar. Ma femme, elle, est à la cuisine à préparer un déjeuner pour six. *Vive les vacances.*

La promenade nocturne

Les chiens s'accommodent de la chaleur en dormant tant qu'elle dure, allongés dans la cour ou blottis à l'ombre d'une haie de romarin. Quand le rose du ciel vire au sombre, ils reprennent vie : ils hument la brise, se bousculant autour de nous en prévision d'une promenade. Nous prenons la torche et nous les suivons dans la forêt.

Cela sent les aiguilles de pin chaudes et la terre rôtie, sèche et parfumée quand nous marchons sur un bouquet de thym. De petites créatures invisibles fuient sous nos pas en faisant frémir les feuilles du buis sauvage qui pousse comme du chiendent.

Les sons portent loin : les cigales et les grenouilles, les accents assourdis d'une musique provenant de la fenêtre ouverte d'une maison au loin, les tintements de verres et les murmures du dîner qui viennent de la terrasse d'Amédée. Les collines de l'autre côté de la vallée, inhabitées dix mois par an, sont constellées de lumières qui s'éteindront à la fin du mois d'août.

Nous rentrons à la maison. Nous nous déchaussons : la tiédeur des dalles est une invitation au bain. Un plongeon dans l'eau sombre, puis un dernier verre de vin. Dans le ciel clair, un fouillis d'étoiles, il va encore faire chaud demain. Ce sera une journée chaude et lente, tout comme aujourd'hui.

Un petit problème mécanique

Notre amie avait décidé de remplacer sa vieille voiture
par une neuve et le jeune vendeur était bien décidé à la
faire bénéficier de tous ses arguments de vente. Impeccable
dans un costume malgré la chaleur, il se pavanait autour
de la nouvelle voiture, en en soulignant les divers attraits
avec force gestes qui faisaient jaillir ses manchettes et tinter sa gourmette.

Notre amie supporta cela avec toute la patience dont
elle était capable. Puis elle suggéra qu'un petit essai serait
peut-être une façon pratique de juger des nombreuses
qualités de la voiture.

Bien entendu, déclara le vendeur, mais *attention!* Il
ôta ses lunettes de soleil pour souligner son propos : « Ce
modèle est beaucoup plus *nerveux* que votre ancienne voiture. En l'amenant ici aujourd'hui, même moi j'ai été
impressionné. Vous effleurez l'accélérateur et vous vous
envolez. Vous allez voir. »

Après un réglage méticuleux de la position du volant
et du siège et un ultime avertissement sur l'incroyable
puissance qui n'attendait que d'être libérée, notre amie se
vit offrir la clé de contact.

Le moteur toussa une fois puis s'arrêta. Une
deuxième, une troisième tentative n'eurent pas plus de
succès. Le sourire s'effaça sur le visage du vendeur. La
voiture avait manifestement besoin de la main d'un
homme. Il s'installa au volant sans réussir à la faire
démarrer. *Incroyable!* Quel pouvait bien être le problème ? Il souleva le capot pour examiner le moteur, puis
plongea sous le tableau de bord, en quête d'un fil mal
serré.

Ne se pourrait-il pas, demanda notre amie, que la voiture eût besoin d'essence? Le vendeur s'efforça de masquer le mépris qu'il éprouvait pour les écervelées qui posent des questions aussi ridicules. Pour lui faire plaisir, il tourna de nouveau la clé et inspecta la jauge à essence. Le réservoir était complètement à sec. L'homme jaillit hors de la voiture. Malheureusement, comme on était dans une petite salle d'exposition et non un garage, il n'y avait pas d'essence sur place. Il faudrait prendre un autre rendez-vous pour l'essai. Madame pourrait-elle revenir cet après-midi? Non? *Merde.*

Le désir de conclure l'affaire l'emporta sur la chaleur et la honte. Le jeune homme au costume impeccable dut faire près d'un kilomètre jusqu'à la Nationale 100 pour emprunter un jerrican d'essence au garage le plus proche, laissant à notre amie la garde du magasin. Elle dit en plaisantant que la prochaine fois qu'elle voudrait acheter une voiture, elle n'oublierait pas d'apporter son essence. Propos qui ne fut pas très bien reçu.

Dans la lavande jusqu'aux genoux

J'avais coupé de la lavande au sécateur. Je travaillais lentement, en amateur : près d'une heure pour faire un peu moins d'une douzaine de touffes. Quand Huguette arriva à la maison avec son panier d'aubergines, je fus heureux d'avoir une occasion de m'arrêter.

Huguette regarda la lavande, puis le sécateur, et secoua la tête devant l'ignorance de son voisin. Je ne savais donc pas couper la lavande? Qu'est-ce que je faisais avec ce sécateur? Où était ma faucille?

Elle alla jusqu'à sa camionnette et revint avec une faucille noircie dont la pointe était plantée dans un vieux bouchon par sécurité. Elle était étonnamment légère et si bien aiguisée qu'on aurait pu se raser avec. J'esquissai quelques passes dans l'air en tenant l'instrument : Huguette secoua de nouveau la tête. De toute évidence, j'avais besoin d'une leçon.

Elle retroussa sa jupe et s'attaqua à la rangée de lavandes la plus proche : d'un bras elle rassemblait les longues tiges en un bouquet serré. D'un seul geste sans heurt de la faucille, elle les tranchait au pied. En cinq minutes, elle en avait coupé plus que moi en une heure. Ça avait l'air facile : il suffisait de se pencher, de rassembler, de tirer. Un jeu d'enfant.

« Et voilà ! fit Huguette. Quand j'étais petite fille, dans les Basses-Alpes, nous avions des hectares de lavande et pas de machine. Tout le monde utilisait la faucille. »

Elle me la tendit, me dit de faire attention à mes jambes et s'en fut rejoindre Amédée dans les vignes.

Ce n'était pas aussi facile qu'il y paraissait : mon premier effort produisit une brassée inégale et déchiquetée qui semblait plus hachée que tranchée. Je compris que la faucille était faite pour les coupeurs de lavande droitiers : pour compenser le fait d'être gaucher, je devais couper vers l'extérieur. Ma femme vint me dire de faire très attention. Elle ne me fait pas confiance avec les instruments tranchants : elle fut donc rassurée de me voir couper vers l'extérieur. Même avec mon talent pour me blesser tout seul, les risques d'amputation paraissaient faibles.

J'en étais arrivé à la dernière touffe quand Huguette revint. Je levai les yeux, espérant des félicitations : je me coupai l'index presque jusqu'à l'os. Cela saignait abondamment : Huguette me demanda si je me faisais les ongles. Je m'interroge parfois sur son sens de l'humour.

Deux jours plus tard, elle m'offrit une faucille en me disant que je n'avais pas le droit de m'en servir si je ne portais pas de gants.

Les tendances alcooliques des guêpes

La guêpe provençale, malgré sa petite taille, a une mauvaise piqûre. Elle a aussi un style d'attaque dans la piscine qui manque de classe : un style de chauffard. Elle s'approche derrière sa victime sans méfiance, attend que celle-ci lève le bras et *toc !* frappe avec violence au creux de l'aisselle. C'est douloureux pendant plusieurs heures : souvent les gens qui ont été piqués s'enveloppent de vêtements protecteurs avant d'aller se baigner. C'est la version locale du concours de Miss T-shirt mouillé.

Je ne sais pas si toutes les abeilles aiment l'eau, mais ici elles l'adorent. Elles flottent dans le petit bain, elles sommeillent dans les flaques sur les dalles, tout en restant à l'affût de l'aisselle exposée et des parties tendres du corps. Après une journée désastreuse au cours de laquelle les victimes avaient été frappées non seulement sous les bras mais à l'intérieur des cuisses (car de toute évidence certaines guêpes peuvent retenir leur souffle et opérer sous l'eau), on m'envoya chercher des pièges à guêpes.

Je les découvris dans la droguerie d'une petite rue de Cavaillon et j'eus la chance de trouver derrière le comptoir un expert en guêpes. Il me fit la démonstration du dernier modèle de piège : un descendant en matière plastique des vieux pièges en verre suspendus qu'on peut encore parfois trouver dans les marchés aux puces. L'appareil, m'expliqua-t-il, avait été spécialement conçu pour être utilisé aux abords des piscines, et l'on pouvait le rendre irrésistible pour les guêpes.

Il se composait de deux parties. La base était une cuvette ronde surélevée sur trois pieds plats, avec une cheminée qui partait du bas. Le haut s'adaptait à la cuvette inférieure et empêchait les abeilles qui avaient remonté la cheminée de s'échapper.

Mais, précisa l'expert en guêpes, ce n'était là que la partie la plus simple. Ce qui était plus difficile, plus subtil, plus artistique, c'était l'appât. Comment persuader la guêpe de renoncer au plaisir de la chair pour remonter la cheminée jusqu'au piège ? Quelle tentation pourrait bien l'éloigner de la piscine ?

Quand on a passé quelque temps en Provence, on s'attend vite à une brève conférence à l'occasion de chaque achat, qu'il s'agisse d'un chou cultivé sans engrais (deux minutes) ou d'un lit (une demi-heure ou davantage selon l'état de votre dos). Pour les pièges à guêpes, comptez entre dix et quinze minutes. Je me calai sur le tabouret devant le comptoir et j'écoutai.

Les guêpes, me révéla-t-on, aiment l'alcool. Certaines l'aiment sucré, d'autres fruité et il en est même qui seront prêtes à ramper n'importe où pour une goutte d'anis. Ce n'est donc, conclut l'expert, qu'une question d'expérimentation. Il faut équilibrer les parfums et les consistances jusqu'au moment où l'on a trouvé la combinaison qui convient au palais de la guêpe locale.

Il suggéra quelques recettes de base : du vermouth avec du miel et de l'eau. De la crème de cassis diluée. De la bière brune relevée d'un peu de marc. Du pastis pur. Pour mieux attirer l'insecte, on peut aussi enduire la cheminée d'une légère couche de miel. Il convient aussi de toujours laisser une petite flaque d'eau juste au-dessous de la cheminée.

L'expert installa un piège sur le comptoir et, avec deux doigts, imita une guêpe en balade.

Elle s'arrête, attirée par la flaque d'eau. Les doigts s'immobilisèrent. Elle s'approche de l'eau. Elle s'aperçoit alors qu'il y a au-dessus d'elle quelque chose de délicieux. Elle grimpe la cheminée pour enquêter. Elle saute dans son cocktail et voilà : elle est incapable de ressortir, trop ivre pour redescendre la cheminée. Elle meurt, mais elle meurt heureuse.

J'achetai deux pièges et j'essayai les recettes du vendeur : toutes donnaient des résultats, ce qui me pousse à croire que la guêpe a un sérieux problème d'alcoolisme. Aujourd'hui, si jamais un de nos invités a un petit coup dans le nez, nous disons qu'il est rond comme une guêpe.

La maladie du Luberon

La plupart des affections saisonnières d'été, qu'elles soient déplaisantes, douloureuses ou simplement embarrassantes, sont au moins considérées avec une certaine compassion. On ne s'attend pas à voir un homme en convalescence après une rencontre explosive avec une merguez s'aventurer de nouveau dans la société policée avant que son organisme ait recouvré la santé. Il en va de même des coups de soleil au troisième degré, de l'empoisonnement par le rosé, des morsures de scorpion, d'un abus d'ail ou du vertige et des nausées provoqués par une exposition prolongée à la bureaucratie française. On souffre, mais on vous laisse souffrir seul et en paix.

Il est un autre fléau, pire que les scorpions ou la saucisse locale, dont nous avons fait nous-mêmes l'expérience et dont nous avons bien souvent observé des cas chez d'autres résidents de ce paisible coin de France. Les symptômes apparaissent d'ordinaire aux environs de la mi-juillet et persistent jusqu'au début de septembre : yeux vitreux et injectés de sang, bâillements, perte d'appétit, irritabilité, léthargie et une forme bénigne de paranoïa qui se manifeste par des envies soudaines d'entrer dans un monastère.

C'est la *maladie du Luberon*, l'épuisement mondain larvé : elle provoque à peu près autant de compassion que les problèmes de domesticité d'un milliardaire.

Si l'on examine les patients – les résidents permanents – on comprend la cause du mal. Les résidents permanents ont leur travail, leurs amis dans la région, leurs paisibles habitudes. Ils ont délibérément choisi de vivre dans le Luberon au lieu d'habiter une des capitales du monde parce qu'ils voulaient, sinon s'en aller loin de tout, du moins s'en aller loin de bien des choses. Dix mois par an, on comprend et on tolère ces excentricités.

Mais essayez d'expliquer cela en juillet et en août. Voici qu'arrivent les visiteurs, fraîchement débarqués de l'avion, encore brûlants de la chaleur de l'autoroute, avides d'activité mondaine. Faisons connaissance de quelques indigènes ! Au diable la lecture dans le hamac et la promenade dans les bois. Au diable la solitude. Ce qu'ils veulent, ce sont des gens : des gens pour déjeuner, des gens pour prendre un verre, des gens pour dîner. Invitations lancées et rendues s'échangent et chaque jour de la semaine a son événement mondain.

Les vacances touchent à leur terme avec un dernier dîner bien arrosé : on peut voir alors sur le visage des visiteurs quelques traces de lassitude. Ils ne se doutaient pas que c'était aussi animé par ici. Ils ne plaisantent qu'à moitié quand ils affirment qu'il va leur falloir un peu de repos pour se remettre du tourbillon de ces derniers jours. Est-ce que c'est toujours comme ça ? Comment tenez-vous le coup ?

Ce n'est pas toujours comme ça et nous ne tenons pas toujours le coup. Comme nombre de nos amis, nous nous effondrons entre deux visites : nous préservons des journées vides et des soirées libres en mangeant peu, en buvant moins, en allant au lit de bonne heure. Chaque année, quand la poussière est retombée, nous discutons avec d'autres membres de l'association des résidents en détresse des moyens de réussir à ce que l'été ressemble moins à une épreuve d'endurance.

Nous sommes tous d'accord : la solution, c'est la fermeté. Dire non plus souvent que oui. S'endurcir contre le visiteur surprise qui n'arrive pas à trouver de chambre d'hôtel, l'enfant déshérité qui n'a pas de piscine, le voyageur désespéré qui a perdu son portefeuille. Soyez ferme. Soyez serviable. Soyez aimable. Soyez grossier. Mais surtout, *soyez ferme*.

Je sais pourtant – je crois que nous le savons tous – que l'été prochain, ce sera pareil. Je crois que nous devons aimer ça. Ou du moins, nous aimerions si nous n'étions pas aussi épuisés.

Place du village

Les voitures sont interdites sur la place du village : on a dressé des éventaires ou des tables à tréteaux sur trois côtés. Sur le quatrième, un échafaudage avec des lumières qui clignotent soutient une estrade surélevée en planches. Devant le café, l'habituelle rangée de tables et de chaises s'est multipliée par dix. On a engagé un serveur supplémentaire pour s'occuper des clients qui s'étalent depuis la boucherie jusqu'au bureau de poste. Enfants et chiens se poursuivent dans la foule, volant au passage des morceaux de sucre sur les tables et esquivant les cannes des vieux que ceux-ci brandissent en feignant la colère. Personne n'ira se coucher de bonne heure ce soir : pas même les enfants, car c'est la soirée annuelle du village, la *Fête votive*.

Cela commence en fin d'après-midi par un pot d'*ami-*

tié sur la place et l'inauguration officielle des éventaires. Les artisans locaux, plantés derrière leurs tables, verre en main, mettent la touche finale à leurs étalages. Il y a de la poterie et de la joaillerie, du miel et de l'essence de lavande, des tissus faits main, des objets en fer et en pierre, des peintures et des sculptures sur bois, des livres, des cartes postales, du cuir repoussé, des tire-bouchons avec des manches en bois d'olivier tout tordu, des sachets à motifs bourrés d'herbes séchées. La femme qui vend des pizzas fait de bonnes affaires dès que le premier verre de vin commence à aiguiser l'appétit de la foule.

Les gens déambulent, mangent un morceau, repartent. La nuit tombe, tiède et silencieuse. Dans le lointain c'est à peine si l'on distingue les montagnes comme de grosses bosses noires se découpant sur le ciel. L'orchestre de trois accordéonistes s'accorde sur l'estrade et attaque le premier de nombreux paso doble. De son côté, le groupe rock d'Avignon qui passera après eux répète dans le café en buvant de la bière et du pastis.

Les premiers danseurs apparaissent : un vieil homme et sa petite-fille, qui enfonce son nez dans la boucle de ceinture de son grand-père, les pieds posés dans un équilibre précaire sur les siens. Bientôt, une mère, un père et une fille dansant à trois viennent les rejoindre. Puis quelques couples d'un certain âge, un peu raides : le visage crispé par la concentration, ils se forcent à refaire les pas qu'ils ont appris cinquante ans plus tôt.

La séance de paso doble s'achève sur une assourdissante fioriture, dans un déchaînement d'accordéon et de tambour. Le groupe rock s'échauffe : cinq minutes d'accords de guitare électrique qui se répercutent sur les vieux murs de pierre de l'église en face de l'estrade.

La chanteuse du groupe, une jeune personne bien bâtie, en collant de lycra noir et perruque orange vif, s'est attiré un public avant de lancer une seule note. Un vieil homme, la visière de sa casquette touchant presque la pointe de son menton en galoche, a tiré une chaise du café pour s'asseoir juste devant le micro. La chanteuse commence son premier morceau : quelques garçons du village enhardis par son exemple surgissent de l'ombre pour venir se planter auprès de la chaise du vieil homme. Tous contemplent, hypnotisés, ce bassin gainé de noir qui se tortille juste au-dessus de leurs têtes.

Faute de cavaliers, les filles du village dansent entre elles, aussi près que possible du dos des garçons fascinés. Un des serveurs pose son plateau pour se pavaner devant une jolie fille assise avec ses parents. Elle rougit et baisse la tête, mais sa mère la pousse à danser. « Vas-y donc, les vacances seront bientôt finies. »

Au bout d'une demi-heure de musique qui menace de déloger les carreaux des maisons tout autour de la place, le groupe attaque son final. Avec une intensité digne de Piaf par une nuit triste, la chanteuse nous donne *Comme d'habitude* ou *My Way*, concluant sur un sanglot, sa tête orange penchée sur le micro. Le vieil homme hoche la tête et frappe sa canne contre le sol. Les danseurs regagnent le café pour voir s'il reste de la bière.

Normalement, il y aurait eu des feux d'artifice tirés depuis le champ derrière le monument aux morts. Mais cette année, à cause de la sécheresse, les feux d'artifice sont interdits. C'était quand même une belle fête. Et vous avez vu comment le facteur a dansé ?

18

Arrêtez ce chien!

Un ami de Londres qui me tient de temps en temps informé de sujets d'une importance internationale qui pourraient ne pas être signalés dans *Le Provençal* m'a envoyé une coupure de presse troublante. Elle provenait du *Times* et révélait une entreprise d'une indicible vilenie. On avait enfoncé profondément un couteau dans la partie la plus sensible de l'anatomie d'un Français.

Une bande de canailles importait d'Italie des truffes blanches (qu'on appelle parfois par mépris *truffes industrielles*). Ils les badigeonnaient ensuite au brou de noix jusqu'à l'obtention d'une teinte assez foncée pour leur donner l'apparence de truffes noires. Celles-ci, tous les gourmets le savent, ont infiniment plus de saveur que leurs cousines blanches et coûtent infiniment plus cher. Le reporter du *Times*, je crois, avait sérieusement sous-estimé les prix. Il avait cité le chiffre de 400 francs le kilo : de quoi causer une émeute chez Fauchon, à Paris, où je les avais vues disposées en vitrine comme des joyaux à 7 000 francs le kilo.

Mais la question n'était pas là. Ce qui comptait, c'était la nature du crime. Voilà des Français, se proclamant champions du monde de gastronomie, qui se laissaient prendre à des gourmandises de contrefaçon, qui se faisaient tromper les papilles gustatives et plumer le por-

tefeuille. Pire encore, la fraude ne portait même pas sur
des truffes domestiques de second ordre, mais sur de pâles
rebuts en provenance d'Italie. D'*Italie*, vous vous rendez
compte !

J'avais entendu un jour un Français exprimer son opinion sur la cuisine italienne en une seule phrase cin-
glante : « Après les nouilles, il n'y a plus rien. » Néanmoins des centaines, peut-être des milliers de sombres
travestis italiens avaient réussi, par les moyens frauduleux
les plus sommaires, à s'introduire dans des estomacs français pourtant bien informés. Il y avait de quoi faire pleurer un homme sur son foie gras.

L'histoire me fit penser à Alain, qui avait proposé de
m'emmener un jour chercher la truffe en dessous du mont
Ventoux pour me faire une démonstration des talents de
son cochon miniature. Mais quand je l'appelai, il me dit
qu'il avait eu une très mauvaise saison, en raison de la
sécheresse de l'été. En outre, l'expérience avec le cochon
s'était soldée par un échec. L'animal n'était pas fait pour
ce travail. Toutefois, si cela nous intéressait, il avait quelques truffes : petites mais bonnes. Nous convînmes de
nous retrouver à Apt, où il allait voir un homme à propos
d'un chien.

Il existe à Apt un café qui, le jour du marché, est
bourré d'hommes qui ont des truffes à vendre. En attendant le chaland, ils passent leur temps à tricher aux cartes
et à mentir en racontant la somme qu'ils ont pu extorquer
à un Parisien de passage pour cent cinquante grammes de
mousse et de boue. Ils ont dans leurs poches des balances
pliantes et de vieux couteaux Opinel à manche de bois
qu'on utilise pour tailler de petits bouts à la surface d'une
truffe afin de prouver qu'elle n'a pas que la peau de noir.
Une odeur presque putride monte des minables sacs de
toile posés sur les tables et vient se mêler aux relents de
café et de tabac gris. De bon matin, on sirote des verres de

rosé et les conversations se réduisent souvent à des chuchotements confidentiels.

Tout en attendant Alain, j'observais deux hommes penchés sur leurs verres, leurs têtes se touchant presque et qui entre deux phrases jetaient à la ronde de furtifs coups d'œil. L'un d'eux prit dans sa poche un Bic tout fendillé et dessina quelque chose au creux de sa main. Il montra à son compagnon ce qu'il avait écrit, puis cracha dans sa paume pour effacer soigneusement la pièce à conviction. De quoi pouvait-il s'agir ? Du nouveau prix au kilo ? De la combinaison du coffre de la banque voisine ? Ou d'un avertissement ? *Ne dis rien. Un homme à lunettes nous regarde.*

Alain arriva : tout le monde dans le café le regarda comme on m'avait regardé. J'avais l'impression d'être sur le point de commettre un acte dangereux et illicite et non pas d'acheter des ingrédients pour une omelette.

J'avais apporté avec moi la coupure du *Times*, mais pour Alain, c'était une vieille histoire. Il en avait entendu parler par un ami du Périgord où l'affaire provoquait un déchaînement de vertueuse indignation parmi les honnêtes négociants en truffes et semait de graves doutes dans l'esprit de leurs clients.

Alain était venu à Apt pour entamer des négociations en vue de l'achat d'un nouveau chien truffier. Il connaissait le propriétaire, mais pas bien : l'affaire allait donc prendre quelque temps. Le prix demandé était substantiel : 20 000 francs. Et on ne pouvait pas s'engager de confiance. Il faudrait arranger des épreuves sur le terrain. Il conviendrait d'estimer l'âge du chien, d'établir la preuve de son ardeur et de son flair.

Je l'interrogeai à propos du cochon miniature. Alain haussa les épaules et passa son index en travers de sa gorge. Au bout du compte, dit-il, à moins d'être prêt à accepter les inconvénients d'un cochon de taille normale, la seule solution, c'était un chien. Mais trouver l'animal qu'il fallait, un chien qui vaudrait son poids en billets de banque, c'était loin d'être facile.

Un chasseur de truffes, c'est une race qui n'existe pas. La plupart des chiens truffiers que j'avais vus étaient de petites bêtes jappantes et indéfinissables qui donnaient l'impression qu'un terrier avait fait une brève apparition dans leur ascendance voilà bien des générations. Alain, pour sa part, avait un vieux berger allemand qui, en son temps, avait bien travaillé. Tout cela était une question d'instinct individuel et de dressage : rien ne garantissait qu'un chien qui chassait pour un maître le ferait pour un autre. Alain se rappela quelque chose et sourit. Il avait à ce propos une anecdote fameuse. Je remplis son verre et il me la raconta.

Un homme de Saint-Didier avait jadis un chien capable de trouver des truffes, affirmait-il, là où aucun autre de ses congénères n'en avait découvert. Durant tout l'hiver, quand les autres chasseurs revenaient des collines avec une poignée de truffes, l'homme de Saint-Didier retournait au café avec sa sacoche gonflée. Ce chien était une *merveille* et son maître ne cessait de vanter les mérites de son petit Napoléon, ainsi prénommé parce que son nez valait de l'or.

Napoléon était l'objet de bien des convoitises mais chaque fois qu'on lui proposait de l'acheter, son maître refusait. Jusqu'au jour où un homme entra dans le café, déposa quatre *briques* sur la table : quatre grosses liasses de billets épinglés ensemble, 40 000 francs. C'était un prix extraordinaire ; après avoir un moment fait la fine bouche, on finit par l'accepter et Napoléon partit avec son nouveau maître.

Jusqu'à la fin de la saison, il ne trouva pas une seule truffe. Le nouveau propriétaire était furieux. Il ramena Napoléon au café et exigea qu'on lui rendît son argent.

Son ancien maître lui dit de s'en aller apprendre à chercher la truffe convenablement. Un pareil imbécile ne méritait pas un chien comme Napoléon. On échangea quelques autres paroles déplaisantes, mais pas question de remboursement.

Le nouveau propriétaire se rendit en Avignon pour trouver un avocat. L'homme de loi déclara, comme le font souvent ces gens, que c'était une zone grise. Il n'y avait pas de précédent pour faire jurisprudence, aucun cas dans la longue histoire soigneusement documentée du droit français qui évoquât le problème de chien manquant à son devoir. C'était à n'en pas douter une querelle qui devrait être tranchée par un juge averti.

Des mois et bien des consultations plus tard, les deux hommes furent convoqués devant le tribunal. Le juge, un homme scrupuleusement consciencieux, voulut s'assurer que tous les adversaires étaient présents. On dépêcha un gendarme pour arrêter le chien et l'amener comme témoin essentiel.

On ne sait si la présence du chien à la barre des témoins aida le juge dans ses délibérations, mais il rendit le verdict suivant : Napoléon serait rendu à son ancien maître qui rembourserait la moitié du prix d'achat. Il aurait le droit de conserver l'autre moitié en compensation de la perte des services du chien.

Maintenant réunis, Napoléon et son ancien maître quittèrent Saint-Didier pour un village au nord de Carpentras. Deux ans plus tard, on signala une affaire identique mais, en raison de l'inflation, la somme d'argent s'était accrue. Napoléon et son maître avaient récidivé.

Mais il y avait une chose que je ne comprenais pas. Si le chien était un tel virtuose de la chasse aux truffes, assurément son maître gagnait plus d'argent en le faisant travailler qu'en le vendant, même s'il finissait par garder le chien et la moitié de l'argent chaque fois qu'il passait en justice.

« Ah ! dit Alain, vous avez cru, comme tout le monde, que les truffes dans le sac avaient été trouvées par Napoléon le jour où on les avait apportées dans le café.

– Non ? »

Non. Elles étaient conservées au congélateur d'où on les sortait une ou deux fois par semaine. Ce chien-là n'aurait pas pu repérer une côte de porc dans une charcuterie : il avait un nez de bois.

Alain termina son vin. « Il ne faut jamais acheter un chien dans un café. Seulement quand on l'a vu travailler. » Il regarda sa montre. « J'ai le temps de prendre encore un verre. Et vous ?

– Toujours », dis-je. Est-ce qu'il avait une autre histoire ?

« Comme vous êtes écrivain, celle-ci va vous plaire, dit-il. Ça s'est passé voilà bien des années mais on me dit qu'elle est vraie. »

Un paysan possédait un bout de terre à quelque distance de sa maison. Ce n'était pas un grand terrain, moins de deux hectares. Mais il était planté de vieux chênes et chaque hiver il y avait assez de truffes pour permettre au paysan de vivre jusqu'à la fin de l'année dans une oisiveté confortable. C'était à peine si son cochon avait besoin de fouiner. Année après année, les truffes repoussaient plus ou moins là où on les avait découvertes auparavant. Autant trouver de l'argent sous les arbres. Dieu était bon et le paysan se sentait assuré d'une vieillesse prospère.

On peut imaginer son irritation le premier matin où il remarqua de la terre fraîchement déplacée sous les arbres. On était venu sur son terrain la nuit : peut-être un chien ou même un cochon égaré. Un peu plus loin, il aperçut un mégot de cigarette enfoncé dans le sol : une cigarette moderne, à filtre, pas de celles qu'il fumait. Et certainement pas abandonnée là par un cochon vagabond. Voilà qui était extrêmement alarmant.

En passant d'un arbre à l'autre, il sentit son inquiétude croître. On avait creusé ailleurs : il vit même des éraflures fraîches sur des pierres qui n'auraient pu être faites que par un pic à truffe.

Ce n'était pas, ça n'aurait pas pu être un de ses voisins. Il les connaissait tous depuis l'enfance. Il devait s'agir d'un étranger, quelqu'un qui ne savait pas que ce précieux coin de terre lui appartenait.

Comme c'était un homme raisonnable, il dut convenir qu'un étranger n'avait aucun moyen de savoir si le terrain avait un propriétaire ou non. Les clôtures et les pancartes, ça coûtait cher : il n'en avait jamais vu la nécessité. La terre était sa terre : tout le monde savait cela. Manifestement, les temps avaient changé et des étrangers parvenaient à s'introduire dans les collines. Cet après-midi-là, il se rendit en voiture au bourg le plus proche pour acheter une brassée de pancartes : « Propriété privée », « Défense d'entrer » et, pour faire bonne mesure, trois ou quatre qui annonçaient « Chien méchant ». Sa femme et lui travaillèrent jusqu'à la tombée de la nuit à les clouer sur le périmètre du terrain.

Quelques jours s'écoulèrent sans nouvelle manifestation de l'intrus au pic à truffe : le paysan commença à se détendre. Il se demandait pourtant pourquoi un innocent s'en irait chercher la truffe de nuit.

Et puis cela recommença. On avait ignoré les pancartes, violé la propriété et, sous le couvert de l'obscurité, déterré je ne sais combien de grasses pépites noires. On ne pouvait plus longtemps y voir la simple méprise d'un amateur ignorant. On avait affaire à un braconnier, à un voleur nocturne qui espérait tirer profit de la seule source de revenu du vieil homme.

Cette nuit-là, assis dans la cuisine à manger leur soupe, le paysan et sa femme discutèrent du problème. Bien sûr, on pouvait appeler la police. Mais comme les truffes ou du moins l'argent tiré de la vente des truffes n'avaient pas d'existence officielle, peut-être ne serait-il pas prudent de mêler les autorités à cette affaire. On poserait des questions sur la valeur de ce qu'on lui avait volé : des renseignements aussi personnels ne gagnaient rien à être divulgués. D'ailleurs, le châtiment officiel pour braconnage de truffes, même si c'était un séjour en prison, ne remplacerait pas les milliers de francs qui gonflaient maintenant les poches profondes du pillard.

Le couple décida donc de recourir à une justice plus sévère et plus satisfaisante : le paysan s'en alla trouver deux de ses voisins, des hommes qui comprendraient la vie, ses aléas et les solutions adéquates.

Ils acceptèrent de l'aider. Durant plusieurs longues nuits glacées, ils attendirent tous les trois avec leurs fusils au milieu des chênes truffiers. Ils rentraient chez eux à l'aube, un peu éméchés par le marc qu'il leur avait bien fallu boire pour se protéger du froid. Enfin, une nuit où les nuages passaient en courant devant la face de la lune et où le mistral cinglait le visage des trois hommes, ils aperçurent les phares d'une voiture. Elle fit halte au bout d'un chemin de terre, à deux cents mètres au pied de la colline.

On arrêta le moteur. On éteignit les lumières. Des portières s'ouvrirent et se refermèrent sans bruit. On entendit des voix, puis la lueur d'une torche remonta lentement la pente dans leur direction.

Le premier à déboucher sous les arbres était un chien. Il s'immobilisa, flaira l'odeur des hommes et aboya : un aboiement nerveux et haut perché, suivi aussitôt d'un « chhhut ! » du braconnier qui cherchait à lui imposer silence. Les hommes fléchirent leurs doigts engourdis pour avoir une meilleure prise sur leur fusil. Le paysan braqua sur les intrus la torche qu'il avait apportée tout exprès pour l'embuscade.

Le faisceau les surprit au moment où ils arrivaient

dans la clairière : un couple, entre deux âges et sans rien de remarquable. La femme portait un petit sac, l'homme une torche et un pic à truffe. Pris sur le fait.

Les trois hommes, brandissant leur artillerie, s'approchèrent du couple. Les deux personnages étaient sans défense et, les canons de fusil sous le nez, ils ne tardèrent pas à avouer qu'ils étaient déjà venus voler des truffes.

« Combien ? demanda le vieux paysan. Deux kilos ? Cinq kilos ? Plus ? »

Silence des braconniers. Silence des trois hommes qui songeaient à ce qu'ils devraient faire. Justice devait être rendue. Plus important encore que la justice, un dédommagement devait être versé. Un des hommes murmura quelques mots à l'oreille du vieux paysan qui hocha la tête : « Oui, c'est ce que nous allons faire. » Il annonça le verdict du tribunal improvisé.

Où était la banque du braconnier ? À Nyons ? Bien. « Si vous partez maintenant, vous serez là-bas à l'ouverture. Vous allez retirer 30 000 francs que vous rapporterez. Jusqu'à votre retour, nous garderons votre voiture, votre chien et votre femme. »

Le braconnier partit : quatre heures de marche jusqu'à Nyons. On installa le chien dans le coffre de la voiture, l'épouse sur la banquette arrière. Les trois hommes se blottirent eux aussi dans la voiture : la nuit était froide. Ils passèrent le temps à sommeiller entre deux petits coups de marc.

L'aube vint, puis le matin, puis midi...

Alain interrompit son récit. « Vous êtes écrivain, dit-il. À votre avis, comment ça s'est-il terminé ? »

Je hasardai deux ou trois hypothèses, toutes erronées, et Alain éclata de rire.

« C'était très simple, et pas du tout dramatique, dit-il. Sauf, peut-être, pour la femme. Le braconnier est bien allé à la banque de Nyons pour retirer tout l'argent qu'il possédait, et puis *pouf!* il a disparu.

— Il n'est jamais revenu ?

— Personne ne l'a jamais revu.

— Même pas sa femme ?

— Certainement pas sa femme. Il ne tenait pas telle-ment à elle.

— Et le paysan ?

— Il est mort furieux. »

Alain me dit qu'il devait y aller. Je lui réglai les truffes et lui souhaitai bonne chance avec son nouveau chien. Arrivé à la maison, je coupai une des truffes en deux pour m'assurer qu'elle était bien noire sur toute son épaisseur. Il avait l'air d'un brave type, Alain, mais on ne sait jamais.

19

La vie en rose

Vivre comme les indigènes.

Je ne sais pas si cela se voulait une plaisanterie, une insulte ou un compliment, mais c'était ce que l'homme de Londres avait dit. Il était passé sans prévenir en descendant vers la Côte et était resté déjeuner. Nous ne l'avions pas vu depuis cinq ans : de toute évidence il était curieux de voir l'effet qu'avait sur nous la vie en Provence. Il nous examina attentivement, guettant des symptômes de détérioration morale ou physique.

Nous n'avions pas conscience d'avoir changé. Mais lui en était sûr, même s'il ne pouvait rien prouver de précis. Faute de constater une seule altération aussi nette que le delirium tremens, un anglais un peu rouillé ou une sénilité précoce, il nous avait rangés dans la catégorie vague, commode et vaste des gens qui adoptent le mode de vie des indigènes.

Il repartit dans sa voiture impeccable, son antenne de téléphone s'agitant gaiement dans la brise. Je regardai notre petite Citroën poussiéreuse qui ne disposait d'aucun moyen de communication avec l'extérieur. C'était assurément une voiture d'indigène. Et puis, comparé à notre visiteur qui arborait une tenue de Côte d'Azur, j'étais habillé comme un indigène : vieille chemise, short, pas de chaussures. Ensuite je me souvins de la fréquence avec laquelle il consultait sa montre durant le déjeuner : il avait rendez-vous avec des amis à six heures trente à Nice. Pas dans le courant de la journée, ni dans la soirée, mais à six heures trente. Voilà longtemps que, faute de soutien logistique local, nous avions renoncé à un chronométrage aussi pointu : nous vivions maintenant suivant les règles des rendez-vous approximatifs. Encore une habitude indigène.

Plus j'y réfléchissais, plus je me rendais compte que nous avions dû changer. Je n'aurais pas appelé ça « adopter le mode de vie des indigènes » : mais il y a d'innombrables différences entre notre vie d'autrefois et notre nouvelle existence, et nous avons dû nous y adapter. Ça n'a pas été difficile. La plupart des changements se sont faits de façon progressive, plaisante, presque imperceptible. Et tous, me semble-t-il, constituent des améliorations.

Nous ne regardons plus la télévision. Ça n'a pas été une vertueuse décision pour nous permettre de consacrer du temps à des activités plus intellectuelles. C'est arrivé, tout simplement. En été, regarder la télévision ne peut même pas se comparer à regarder le ciel du soir. En hiver, elle souffre de la concurrence du dîner. Le téléviseur se trouve maintenant relégué dans un placard pour laisser la place à davantage de livres.

Nous mangeons mieux qu'autrefois et sans doute pour moins cher. Il est impossible de vivre un certain temps en France sans se laisser gagner par l'enthousiasme national pour la nourriture : qui d'ailleurs le voudrait ? Pourquoi ne pas faire d'une nécessité quotidienne un plaisir quotidien ? Nous nous sommes laissés aller au rythme gastronomique de la Provence, en profitant des offres spéciales fournies par la nature tout au long de l'année. Asperges, petits haricots verts pas plus gros que des allumettes, fèves dodues, cerises, aubergines, courgettes, poivrons, pêches et abricots, melons et raisins, blettes, champignons sauvages, olives, truffes : chaque saison apporte son festin. À l'exception ruineuse de la truffe, rien ne coûte plus de quelques francs le kilo.

La viande, c'est un autre problème : les prix des bouchers ont de quoi faire sursauter le visiteur. La Provence n'est pas un pays de bétail : l'Anglais en quête de son roast-beef dominical aura intérêt à sortir son chéquier et à s'apprêter à être déçu, car le bœuf n'est ni bon marché ni tendre. Mais l'agneau, surtout dans la région de Sisteron, où les moutons s'assaisonnent eux-mêmes aux herbes, l'agneau a un goût qu'il serait criminel de masquer sous une sauce à la menthe. Et chaque morceau du porc est excellent.

Malgré cela, nous consommons aujourd'hui moins de viande. De temps en temps, un poulet de Bresse *appellation contrôlée*, les lapins sauvages qu'Huguette nous apporte en hiver. Un cassoulet quand la température baisse et que le mistral hurle autour de la maison. La viande de temps en temps, c'est merveilleux. La viande tous les jours, c'est une habitude du passé. Il y a tant d'autres choses : du poisson de la Méditerranée, des pâtes fraîches, un nombre illimité de recettes pour tous ces légumes, des douzaines d'espèces de pain, des centaines de fromages. Peut-être cela tient-il à ce changement de régime et à la façon dont nous faisons la cuisine, toujours à l'huile d'olive, mais nous avons tous les deux perdu du poids. Oh ! pas beaucoup, mais assez pour provoquer une certaine surprise chez les amis qui s'attendent à nous voir avec un peu de *brioche*, ce léger ballonnement qu'on observe parfois chez les individus doués d'un bon appétit qui ont la chance de prendre leurs repas en France.

Sans que ce soit délibéré, nous prenons aussi davantage d'exercice. Non pas les sinistres contorsions encouragées par des femmes décharnées en collant : mais l'exercice que l'on prend naturellement quand on vit dans un climat qui vous permet de passer dehors huit ou neuf mois de l'année. La discipline n'a rien à y voir, à l'exception des petites contraintes de la vie campagnarde : apporter des bûches pour le feu, arracher les mauvaises herbes et débroussailler, planter, tailler, se baisser et soulever. Et chaque jour, par toute sorte de temps, marcher. Nous avons eu à la maison des gens qui ne veulent pas croire que marcher peut être un exercice ardu. Ce n'est pas un effort dramatique, ce n'est pas éreintant sur le moment, ce n'est pas violent. « Tout le monde marche, disent-ils. On ne peut pas appeler cela de l'exercice. » Au bout du compte, s'ils insistent, nous les emmenons faire une promenade avec les chiens.

Les dix premières minutes, on les passe en plat, le long du sentier au pied de la montagne : c'est facile, cela ne demande pas d'effort et c'est agréable de prendre un peu d'air en profitant d'un point de vue sur le mont Ventoux au loin. Mais de l'exercice, ça ? Ils ne sont même pas essoufflés.

Puis nous tournons pour remonter le chemin menant à la forêt de cèdres qui poussent le long de l'arête du Luberon. On passe d'un sol sablonneux tapissé d'aiguilles de pin à des rochers avec çà et là des éboulis, et nous commençons à grimper. Au bout de cinq minutes, finies les remarques condescendantes pour dire que la marche est un exercice de vieillard. Au bout de dix minutes, plus de remarque du tout : plus rien que le bruit de respirations de plus en plus rauques, ponctuées par de brèves toux. Le sentier contourne de gros rochers et passe sous des branches si basses qu'il faut se plier en deux. Pas le moindre aperçu du sommet pour vous encourager : l'horizon se borne à une centaine de mètres d'un chemin étroit, caillouteux, escarpé, que vient bientôt masquer le prochain affleurement rocheux. S'il leur reste un peu de souffle, nos hôtes peuvent émettre un juron en se tordant une cheville dans la pierraille. Ils ont les jambes et les poumons en feu.

Les chiens trottent en avant. Le reste d'entre nous s'étire derrière eux à intervalles irréguliers, les moins aptes cheminant d'un pas lourd, le dos courbé et prenant appui des mains sur les cuisses. L'orgueil les empêche en général d'arrêter : ils continuent avec obstination, soufflant comme des asthmatiques, tête basse, au bord de la nausée. Plus jamais ils ne diront que la marche n'est pas un exercice.

La récompense, quand on atteint le sommet, c'est de se trouver dans un paysage extraordinaire et silencieux, parfois étrange, toujours magnifique. Les cèdres sont superbes et offrent un spectacle magique quand ils sont drapés de grands pans de neige. Plus loin, sur la face sud de la montagne, le terrain descend en pente raide, une pierre grise et déchiquetée, adoucie par le thym et le buis qui semblent capables de pousser dans le coin de rocher le moins prometteur.

Par temps clair, quand le mistral a soufflé et que l'air étincelle, on a une vue sur la mer d'une extraordinaire netteté, presque comme dans un verre grossissant. Et l'on a le sentiment d'être à des centaines de kilomètres du reste du monde. Un jour j'ai rencontré un paysan là-haut, sur le chemin tracé par les services forestiers au milieu des cèdres. Il chevauchait une vieille bicyclette, un fusil en bandoulière, un chien trottinant auprès de lui. Nous fûmes chacun surpris de rencontrer un autre être humain. L'endroit est en général moins fréquenté et le seul son qu'on y entende c'est celui du vent qui harcèle les arbres.

Les jours passent lentement mais les semaines filent. Aujourd'hui nous mesurons l'année suivant des méthodes qui n'ont pas grand-chose à voir avec les agendas et les dates précises. Il y a les amandiers en fleur de février, les quelques semaines d'affolement préprintanier dans le jardin quand nous tentons de nous attaquer aux travaux que nous avons envisagé de faire durant tout l'hiver. Le prin-

temps est un mélange de cerisiers en fleur et d'un jaillissement de mauvaises herbes : les premiers hôtes de l'année,
qui arrivent en espérant profiter d'un temps subtropical,
ne trouvent bien souvent que pluie et vent. L'été peut
commencer en avril. Ou bien en mai. Nous savons qu'il est
arrivé quand Bernard téléphone pour nous aider à découvrir et nettoyer la piscine.

Les coquelicots en juin, la sécheresse en juillet, les
orages en août. Les vignes commencent à rougeoyer. Les
chasseurs sortent de leur hibernation estivale. Les vendanges sont faites. L'eau de la piscine vous saisit de plus
en plus vivement jusqu'au moment où elle devient trop
froide pour autre chose qu'un plongeon masochiste au
milieu de la journée. Ce doit être la fin octobre.

L'hiver est plein de bonnes résolutions et certaines
d'entre elles se concrétisent bel et bien. On abat un arbre
mort. On bâtit un mur. On repeint les vieilles chaises en
fer du jardin. Chaque fois que nous avons un moment de
libre, nous prenons le dictionnaire et nous reprenons notre
combat avec la langue française.

Notre français s'est amélioré et la perspective de passer une soirée dans une compagnie totalement française
n'est plus aussi intimidante que jadis. Mais, pour
reprendre une expression si souvent utilisée dans mes bul-
letins scolaires, « peut mieux faire ». Il faut se donner plus
de mal. Nous avançons donc à pas comptés dans la lecture
de livres de Pagnol, de Giono et de Maupassant. Nous
achetons régulièrement Le Provençal. Nous écoutons le
débit de mitrailleuse des présentateurs de radio. Nous
nous efforçons de débrouiller les mystères de cette langue
soi-disant logique.

Je crois qu'il s'agit d'un mythe inventé par les Français pour dérouter les étrangers. Où, par exemple, est la
logique dans le genre attribué à des noms propres et à des
substantifs ? Pourquoi le masculin pour le Rhône et le

féminin pour la Durance ? Ce sont tous les deux des cours
d'eau : s'ils doivent avoir un sexe, pourquoi ne serait-ce
pas le même ? Quand j'ai demandé à un Français de
m'expliquer cela, il m'a fait une dissertation sur les
sources, les ruisseaux et les rivières qui, selon lui, apportait à ma question une réponse concluante et, bien
entendu, logique. Puis il passa à l'océan masculin, à la
mer féminine, au lac masculin et à la flaque féminine.
Même l'eau ne devait pas s'y retrouver.

Son discours ne contribua pas à me faire renoncer à
ma théorie qui est que les genres existent seulement pour
compliquer l'existence. On les a attribués de façon parfaitement arbitraire, parfois même avec un mépris cavalier
pour les subtilités anatomiques. Comment l'étudiant
déconcerté peut-il espérer appliquer la logique à une
langue où le mot vagin est masculin ?

Il y a aussi le *lui* androgyne, qui nous attend en
embuscade au détour de plus d'une phrase. Normalement,
« lui » c'est « il ». Dans certaines constructions, « lui » c'est
« elle ». Souvent on reste dans l'incertitude quant au genre
de « lui » jusqu'au moment où la révélation nous arrive,
comme dans : « Je lui ai téléphoné, mais elle était
occupée. » Peut-être n'est-ce là qu'un petit mystère, mais
sur lequel peut trébucher le novice, surtout quand le pré-
nom de « lui » mélange également le masculin et le féminin, comme Jean-Marie ou Marie-Pierre.

Il y a pire. Des événements étranges et contre nature
se produisent chaque jour dans les règles de la syntaxe
française. Un récent article de journal à propos du
mariage de Johnny Hallyday s'interrompait dans la description de la robe de la mariée pour gratifier Johnny
d'un petit compliment : « Il est, disait l'article, une grande
vedette. » En l'espace d'une seule petite phrase brève, la
star avait subi un changement de sexe, et le jour de son
mariage par-dessus le marché.

C'est peut-être à cause de ces déroutants tours et détours que pendant des siècles le français a été le langage de la diplomatie : c'est en effet une occupation où la simplicité et la clarté ne sont pas considérées comme nécessaires, ni même souhaitable. En fait, la prudente déclaration, rendue brumeuse par son formalisme et susceptible de plusieurs interprétations différentes, risque beaucoup moins de mettre un ambassadeur dans le pétrin que les simples mots qui veulent dire ce qu'ils disent. À en croire Alex Dreier, un diplomate, c'est « quelqu'un qui réfléchit à deux fois avant de ne rien dire ». La nuance et un vague significatif sont essentiels : le français pourrait bien avoir été inventé pour permettre à ces mauvaises herbes linguistiques de s'épanouir dans les interstices de chaque phrase.

Mais c'est une belle langue, souple et romantique, même si elle ne mérite peut-être pas tout à fait le respect qui fait qu'un cours de français se trouve qualifié de « cours de civilisation » par ceux qui considèrent leur langue comme un trésor national et un brillant exemple de la façon dont tout le monde devrait s'exprimer. On imagine la consternation de ces puristes en voyant toutes les horreurs étrangères qui se glissent dans le français de tous les jours.

Le mal a sans doute commencé quand le *week-end* a traversé la Manche pour gagner Paris, au moment où le propriétaire d'une boîte de nuit de Pigalle baptisait son établissement *Le Sexy*. Comme il fallait s'y attendre, cela a vite conduit à la coquine institution du *week-end sexy* : pour le plus grand délice des patrons d'hôtels parisiens et le désespoir de leurs homologues de Brighton et autres endroits moins avantagés sur le plan érotique.

Cette invasion linguistique ne s'est pas arrêtée à la chambre à coucher. Elle s'est aussi infiltrée dans les bureaux. Le cadre a maintenant un *job*. Si la pression du travail l'accable, il se trouvera de plus en plus *stressé* :

peut-être à cause des exigences qui s'imposent à un *leader*
dans la jungle du *marketing*. Le pauvre diable surmené
n'a même plus le temps du traditionnel déjeuner de trois
heures : il doit se contenter de *fast-food*. C'est la pire forme
de français : elle provoque chez les sages de l'Académie
française des crises d'indignation. Je dois dire que je ne les
en blâme pas. Ces maladroites intrusions dans une aussi
belle langue sont scandaleuses.

L'expansion progressive du franglais est facilitée par
le fait qu'il existe bien moins de mots dans le vocabulaire
français qu'en anglais. Cela pose des problèmes car le
même terme peut avoir plusieurs significations. À Paris,
par exemple, on estimera normalement que « Je suis
ravi » signifie « Je suis enchanté », mais au *Café du Progrès* à Ménerbes, « ravi » a une autre signification peu
flatteuse et la même phrase peut vouloir dire « Je suis
l'idiot du village ».

Pour masquer ma confusion et éviter au moins certains de ces nombreux pièges verbaux, j'ai appris à grom-
meler comme un indigène, à émettre ces sons brefs mais
expressifs, ces petites inspirations, ces claquements de
langue compréhensifs, ces *ben oui* murmurés qu'on utilise
dans la conversation comme marches pour passer d'un
sujet au suivant.

De tous ces procédés, le plus flexible, et donc le plus
utile, c'est la formule courte et apparemment explicite de
Ah bon, employée avec ou sans point d'interrogation. Je
croyais jadis que cela signifiait ce que cela disait, mais
bien sûr que non. Un échange caractéristique, avec le
degré voulu de catastrophes et de consternation, pourrait
donner à peu près ceci :

« Le jeune Jean-Pierre est vraiment dans le pétrin
cette fois-ci.

— Ah oui ?

— Ben oui. Il est sorti du café, il est monté dans sa voi-

ture, il a renversé un gendarme complètement écrasé et il
est rentré dans un mur. Il est passé à travers le pare-brise,
il s'est ouvert le crâne et a quatorze fractures à la jambe.
    – *Ah bon.* »

Selon l'inflexion, *Ah bon* peut exprimer la stupeur,
l'incrédulité, l'indifférence, l'irritation ou la joie : remarquable exploit pour deux petits mots.

De même il est possible de poursuivre la plus grande
partie d'une brève conversation avec deux autres mono-
syllabes : *Ça va.* Chaque jour, dans chaque ville et village
de Provence, deux personnes se rencontrent dans la rue,
échangent la poignée de main rituelle et engagent le dia-
logue suivant :

« *Ça va ?*
    – *Oui. Ça va, ça va. Et vous ?*
    – *Bof, ça va.*
    – *Bieng. Ça va alore.*
    – *Oui, oui, ça va.*
    – *Allez. Aur'voir.*
    – *Aur'voir.* »

Les mots seuls ne rendent pas justice à la situation : on
ajoute quelques haussements d'épaule, sourires et pauses
songeuses qui peuvent se prolonger jusqu'à deux ou trois
minutes, si le soleil brille et si l'on n'a rien d'urgent à
faire. Et, naturellement, le même plaisant échange de
salutations entre voisins se répétera à plusieurs reprises
durant les courses de la matinée.

Après quelques mois de ces rencontres sans complication, on pourrait facilement commettre l'erreur de croire
qu'on commence à s'y retrouver en français parlé. On
peut même avoir passé de longues soirées avec des Français qui affirment vous comprendre. Ils deviennent plus
que de simples relations : des amis. Et, lorsqu'ils jugent le
moment opportun, ils vous offrent le cadeau de leur amitié
sous la forme verbale : cela vous ouvre une série entière-

ment nouvelle d'occasions de vous ridiculiser. Au lieu d'utiliser « vous » ils vont commencer à vous dire « tu » ou « toi », forme d'intimité qui a son propre verbe, « tutoyer ».

Le jour où un Français passe de la formalité du « vous » à la familiarité du « tu » est une date à prendre au sérieux. C'est l'incontestable signal qu'il a décidé après des semaines, des mois, voire des années qu'il vous aime bien. Il serait grossier et inamical de votre part de ne pas lui rendre le compliment. C'est ainsi qu'au moment précis où vous vous sentez enfin raisonnablement à l'aise avec le « vous » et tous les pluriels qui l'accompagnent, vous voilà précipité tête baissé dans le monde singulier du « tu ».

Et nous nous obstinons à trébucher. Nous commettons toutes sortes de péchés contre la grammaire et les genres. Nous faisons de longs et maladroits détours pour éviter les marécages du subjonctif et les vides de notre vocabulaire, en espérant que nos amis ne sont pas trop horrifiés par la façon dont nous massacrons leur langue. Ils ont la bonté de nous dire que notre français ne les fait pas frissonner d'horreur. J'en doute. Mais ils ont le désir incontestable de chercher à nous mettre à l'aise : cela donne à la vie quotidienne une chaleur qui ne doit pas tout au soleil.

Voilà du moins quelle a été notre expérience. Elle n'est manifestement pas universelle : il y a des gens pour ne pas nous croire ou même pour paraître offusqués. On nous a accusés de légèreté, de fermer les yeux sur des problèmes mineurs et de refuser délibérément de reconnaître ce que l'on décrit comme le « côté sombre » du caractère provençal. Ce cliché menaçant est monté en épingle et agrémenté d'épithètes comme « malhonnête », « paresseux », « sectaire », « cupide » et « brutal ». On croirait qu'il s'agit de caractéristiques locales auxquelles pour la première fois de sa vie va se trouver exposé l'innocent étranger honnête, industrieux, sans préjugé et généralement sans reproche.

Il est vrai, évidemment, qu'il y a des escrocs et des fanatiques en province comme dans les capitales. Mais nous avons eu de la chance et la Provence a été bonne avec nous. Nous ne serons jamais plus que des visiteurs permanents dans un pays qui n'est pas le nôtre : mais nous avons eu le bonheur d'être bien accueillis. Pas de regrets, de rares doléances, de nombreux plaisirs.

Merci, Provence.

TABLE DES MATIÈRES

Cet ouvrage a été réalisé par la
Société Nouvelle Firmin-Didot
Mesnil-sur-l'Estrée
en février 1995

Imprimé en France
Dépôt légal : février 1995
Nº d'édition : 95PE14 – Nº d'impression : 29761
ISBN : 2-84111-022-2